マイルス・デイヴィス・スタイルの探究

mel bay presents

Essential Jazz Lines

in the style of miles davis

by corey christiansen
and per danielsson

本書は、*Corey Christiansen* と *Per Danielsson* による、独創的な音楽的研究と分析に基づいて執筆されており、
あなた自身のインプロヴァイジング·スタイルの上達に役に立つように編集されています。

また、本書は、マイルス·デイヴィスのインプロヴィゼイションに対するアプローチを探究したもので、
マイルス·デイヴィスのラインをトランスクライブしたものではありません。

Printed in Japan

ATN, inc.

CONTENTS

日本語版に寄せて

エッセンシャル・ジャズ・ライン・シリーズは、何人かの偉大なジャズ・ミュージシャンの膨大な音楽的テクニックと実際のフレーズを、あなたに提供するものです。それぞれの巻には、伴奏用のプレイ・アロングCDが付属されているので、本に掲載されたさまざまなアイディアが、実際にバンドの中でどのようにサウンドするか、確認することができます。このシリーズの学習手順に従い、実践することによって、あなたは、さまざまなアーティストのジャズ言語をマスターするばかりか、あなた自身のオリジナル・サウンドを発展させることもできるのです。幸運を祈ります、このすばらしい音楽を練習し、マスターすることを楽しみましょう。

Corey Christiansen

著者について

Corey Christiansen

5歳でギターを始め、父親の *Mike Christiansen* と著名なジャズ・エデュケイターである *Jack Petersen* に師事する。ジャズ・パフォーマンスの修士号を取得後、南フロリダ大学でジャズ・ギターの講師を務める。同大学で教えていた間、多くの生徒たちと演奏したり、生徒たちによるグループを率いた。イタリア、ペルージャの Umbria Jazz Festival、Clearwater Jazz Festival、Daytona Beach Jazz Festival、St. Louis Jazz Festival など、有名なフェスティバルに出演し、また *Jimmy Bruno*、*John Pisano*、*Joe Negri*、*Willie Akins*、*Rob McConnel*、*Sid Jacobs*、*Jack Wilkins*、*Danny Gottlieb*、*Tim Hagans* など、たくさんの優れたジャズ・アーティストたちと共演およびレコーディングした経験をもつ。

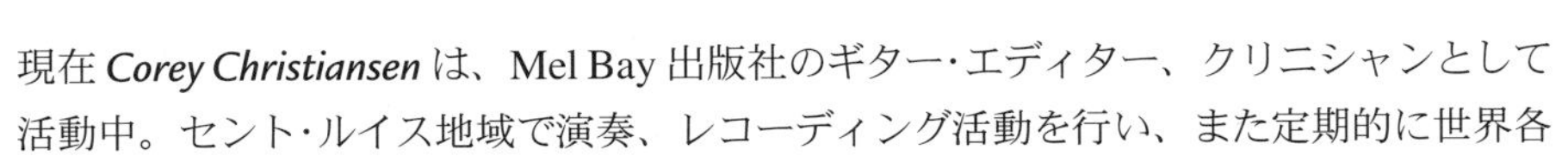

現在 *Corey Christiansen* は、Mel Bay 出版社のギター・エディター、クリニシャンとして活動中。セント・ルイス地域で演奏、レコーディング活動を行い、また定期的に世界各地のツアーにも出かけている。コンサートやクラブで演奏する他、学校や楽器店でのギター・クリニックにおいて、実にさまざまな内容に関するクリニックを行っている。Buscarino のギター、Thomastik-Infeld の弦、Clarus のアンプ、Raezer の Edge、Leonardo のスピーカー・キャビネットを使用。

Per Danielsson

スウェーデンのストックホルムに生まれ、*Oscar Peterson* と *Bill Evans* を聴いて育つ。9歳からピアノ・レッスンを受け始め、後に *Robert Malmberg* と *Bengt Hallberg* に師事する。

1981 年に *Royal Swedish Army Band* で演奏する。そして、1984 年には Pat Coil Jazz Piano Scholarship を獲得し、南テキサス州立大学に入学する。そこで *Steve Harlos*、*Dan Hearle*、*Paris Rutherford*、そして *Rich Matteson* に師事する。*NTSU Jazz Singers* の台湾ツアーにも参加する。1986 年、*Disney's All-American College Orchestra* の EPCOT Center におけるサマー・パフォーマンスに参加し、*Walt Disney World* のピアニストを務め続ける。

Rich Matteson、*Louis Bellson*、*Clark Terry*、*Rosemary Clooney*、*Maureen McGovern*、*Vic Juris*、*Maria Schneider*、*Dave Stryker*、*Danny Gottlieb*、*Slide Hampton*、さらにスウェーデンの著名なジャズ・ミュージシャンである *Arne Domnerus*、*Jan Allan* と共演した経験をもつ。

Per は、南フロリダ大学で *Chuck Owen* に師事し、ジャズ・スタディ、作曲、編曲の修士号を取得する。現在、彼はタンパの南フロリダ大学、そしてオーランドのロリンズ大学でジャズ・ピアノを教えている。

Per Danielsson の演奏は、*Danny Gottlieb* と *Mark Neuenschwander* をフィーチュアした、彼自身のトリオのアルバム Dream Dancing で聴くことができる。彼の最も新しいプロジェクトの１つには、*Tamara Danielsson* のサックスをフィーチュアした *Gottlieb-Danielsson Project* がある。

Per Danielsson によるその他の著書
First Lessons Piano
エッセンシャル・ジャズ・ライン　ビル・エヴァンス・スタイルの探求
You Can Teach Yourself Piano Chords
Jazz Piano Wall Chart

Miles Davis

エッセンシャル・ジャズ・ライン・シリーズは、偉大なジャズ・ミュージシャンたちのインプロヴィゼイション・スタイルを探求することを目的としています。本書に収められた適切な練習マテリアル、方法論、およびプレイ・アロングCDは、ジャズ言語を理解し、各アーティストのスタイルに対する洞察力を身につける手助けとなることでしょう。

マイルス・デイヴィス・スタイルの探求という本書のタイトルには、実は少し問題があります。マイルス・デイヴィスは1つだけのスタイルに長くとどまることのなかった人です。マイルスのキャリア全体を包括的に網羅するためには、少なくとも6つか7つのジャズ・スタイルを取り上げなければならないでしょう。そしてそれは、数百ページにおよぶ、途方もなく長い本になるでしょう。

マイルスはビバップ・ムーヴメントの全盛期に関わっていました。彼は比較的若い年齢にして、*Charlie Parker*や他のビバップ発案者たちと共演しました。後に彼は、クール時代（これはマイルスを語る上でのキーワード）の先駆者となります。彼は、アルバムKind of Blueでモーダル・コンセプトを示してジャズの新しい方向性を切り開き、前進し続けました。1950年代には、*Philly Joe Jones*、*Red Garland*、*Wynton Kelly*、*Paul Chambers*、*John Coltrane*、*Bill Evans*といったメンバーたちとともに黄金のジャズ・クインテットを完成させました。その後、*Wayne Shorter*、*Herbie Hancock*、とても若い*Tony Williams*、そして*Ron Carter*から成る60年代のグループにおいて、進んだジャズ・ハーモニーとモダンなコンセプトをさらに発展させました。続いて、アルバムIn a Silent WayとBitches Brewにおいてエレクトロニクスを導入したロック・フュージョンの道を開きました。70年代にはファンク・ジャズを極め、80年代にはジャズ・フュージョンを発展させます。1991年に亡くなる前には、ヒップ・ホップまでも自分自身のジャズ・サウンドに取り入れたのでした。

マイルスはジャズの方向転換に深く関わっただけでなく、多くの革新的なミュージシャンたちを育てたバンド・リーダーでもありました。彼のリーダーシップのもとで開花した偉大なジャズの先駆者たちの名は、容易にあげることができます。*John Coltrane*、*Herbie Hancock*、*Joe Zawinul*、*Wayne Shorter*、*Chic Corea*、*John McLaughlin*、*Bill Evans*、*Mike Stern*、*John Scofield*、*Kenny Garrett*などはみな、マイルス・バンドで経験を積みました。

本書のマテリアルは、マイルスが演奏したビバップ的ラインに焦点を当てています。ラインの多くは、彼がスタンダード・ジャズの演奏においてプレイしたものに基づいています。マテリアルは、それらを使用できるハーモニーによって分類されています。本書の付属CDには多くのプレイ・アロング・トラック（1つのコードまたはコード・プログレッションだけをくり返すトラックと、サイクル・オブ4thでキーが移調していくトラック）が収録されており、まず1つのキーで練習してから12キーすべてをマスターするための練習ができるようになっています。また、理論のチャプターで解説されているコンセプトを学習することを、強く勧めます。

*Charlie Parker*は事実上、後に続くすべてのジャズ・アーティストに何らかの影響をあたえていることから、**エッセンシャル・ジャズ・ライン チャーリー・パーカー・スタイルの探求**の理論に関するチャプターが本書に転用されています。これらのチャプターはシリーズ全体をとおしてくり返され、学習者にジャズ言語の基礎を解説するもです。

本書は意欲ある学習者のために書かれたものです。マイルスこそジャズです。楽しんで学びましょう。

Corey and Per

ジャズ言語

英語のアルファベットは全部で26文字ありますが、その中のA、E、I、O、U（しばしばYも）は母音で、その他のすべての文字は子音になります。そして単語は母音抜きでは作れないないので、英語にとってはこの母音が基本骨格といえるでしょう。音楽的言語にも、英語を話す場合と同様に、母音に相当するものがあります。

あるコードが演奏されている間、すべての音（アルファベット表記では、A、B、C、D、E、F、Gと、それらに♯や♭などの臨時記号が付いたもの）がソロやメロディに使えるでしょう。しかしその中のいくつかの音は、少し長めに延ばしてみると、他の音よりも良いサウンドであるかもしれません（コードによってその音は変わる）。このような音が母音に相当し、他の音は子音に相当します。母音といわれているものがコード・トーンです。例えば、C7コードを演奏している場合、C、E、G、B♭が母音です。Dm7コードを演奏しているなら、D、F、A、Cが母音になります。コード・トーン以外のすべての音は子音として、母音へ繋げるためのガイド役をしているのです。ノン・コード・トーンは不安定で落ち着きのないサウンドを創るので、コード・トーンによる安定感が必要になります。

次の例では、すべてのコード・トーンが丸で囲んだ音符で示されています。その他の音は子音、またはパッシング・トーン（経過音）です。まず、コードに対して母音だけを演奏してから、次に子音を加えて演奏し、サウンドの違いを比較しましょう。

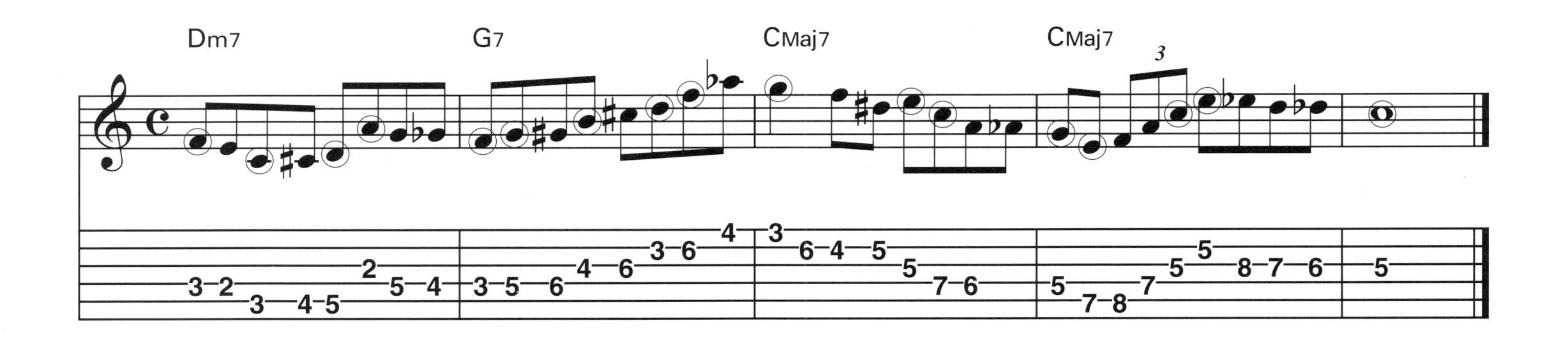

すべての母音がコード・トーンであることに注目しましょう。

マイルス・デイヴィスは母音と子音を使って、非常に力強い独自のハーモニック言語を創造しました。それに加えて、彼は独特のタイム、スペース、そしてスウィングの要素も見事に習得していました。

これらすべての要因から、マイルス・デイヴィスは独自のユニークなスタイルを築き上げ、ジャズにおいて最も模倣されるプレイヤーの１人となりました。

ガイド・トーン

ガイド・トーンとは、次のコードに向かって導くようにハーモニーに動きを与える音で、通常コード・トーンの3rdと7thがガイド・トーンです。シンプルなii-V-Iプログレッションを例に、ガイド・トーンがどのように動いているのかを見てみましょう。ii-Vの部分では、Dm7コードの7thであるC音がG7コードの3rdであるB音にハーフ・ステップで動いています。V-Iの部分でも同様に、G7コードの7thであるF音がCMaj7の3rdであるE音にハーフ・ステップで動いています。

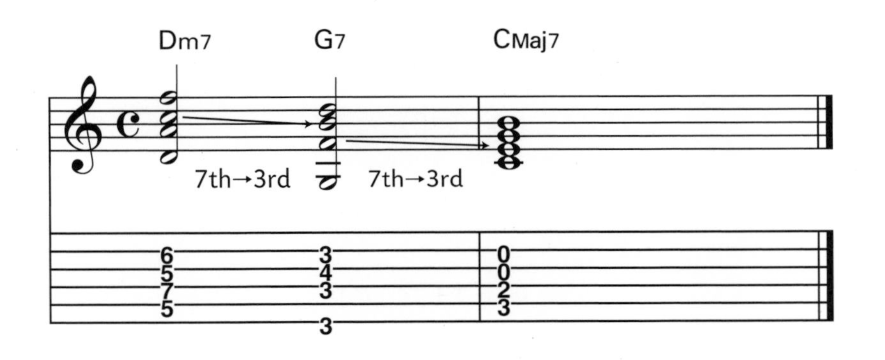

マイルス・デイヴィスは、ii-V-Iプログレッション上でソロをとる時、しばしばガイド・トーンを使いました。以下の例は、実際にどのようにガイド・トーンを使ったのかを示したものです。ガイド・トーンを使うことによって、ソロイストはそのコード・プログレッションが生み出すハーモニーの動きを強調することができるのです。

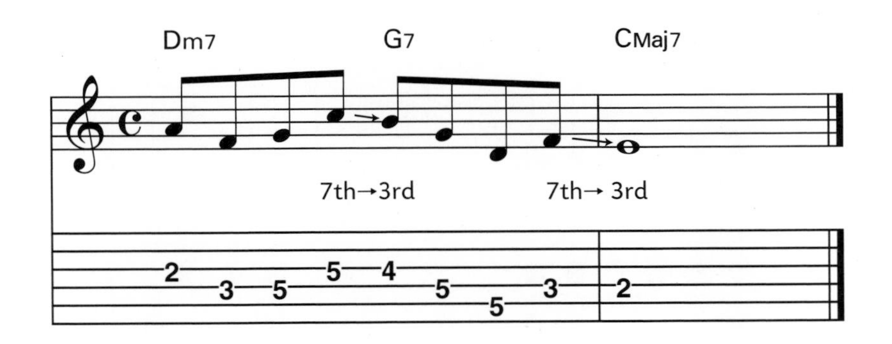

スケール

マイルスの音楽的言語を理解する上で、知っておく必要があるスケールがいくつかあります。これらのスケールについて、どのような時に使われ、なぜ特定のコードで機能するかを理解することがとても重要です。マイルスのスタイルにおいては、以下のスケールに注目します。

1. ドリアン
2. ビバップ·スケール
3. ハーモニック·マイナー·スケール
4. メロディック·マイナー·スケール
5. ディミニッシュ·スケール

スケールとは特定のサウンドを創るために使われるツールである、ということを理解することが大切です。しかしながら、インプロヴァイズされたソロはスケールだけで成り立っているわけではありません。よいソロにはプレイヤーの創造力も不可欠です。

ドリアン

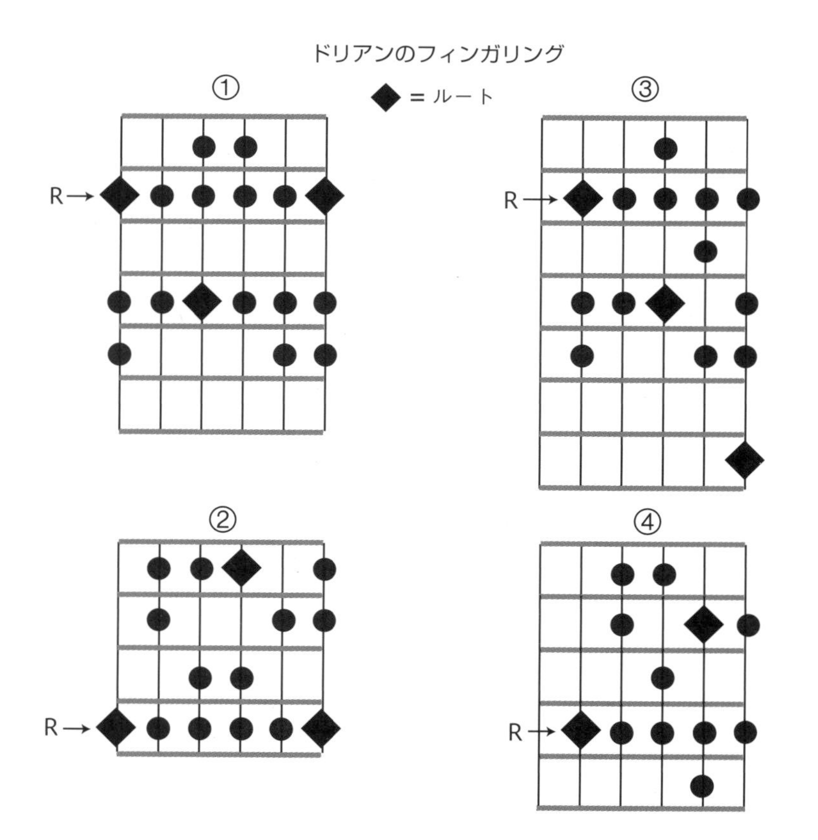

スケール·ダイアグラムとフィンガリングはひとつの例です。自分自身で考えたフィンガリングを試しましょう。

このスケールはii-V-I プログレッションのマイナー・コード上で使われます。このスケールにはコードの重要な音（母音）がすべて含まれています。Dm7 の母音はD、F、A、C です。母音と子音を組み合わせれば、強いハーモニック言語となるフレーズを創ることができます。

以下はドリアン･サウンドをもつラインの例です。

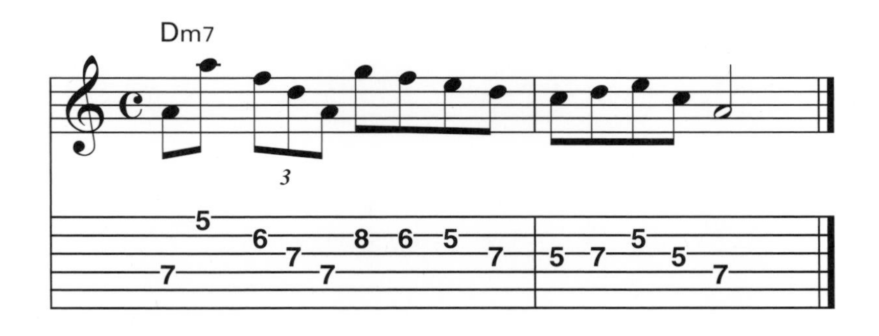

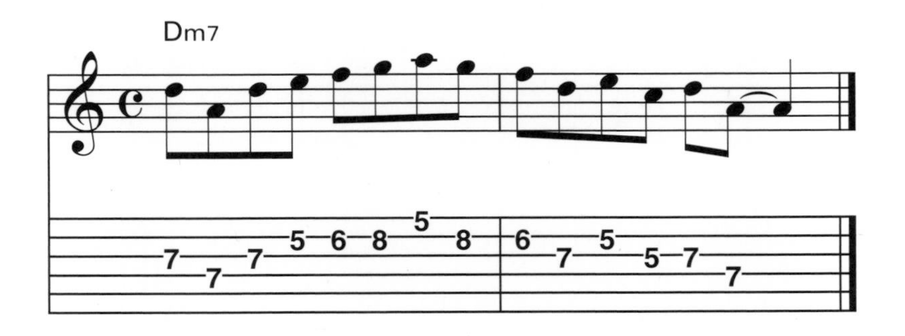

ビバップ･スケール

ビバップ･スケールは、基本的に３種類あります。ミクソリディアン（ドミナント7th）･ビバップ･スケールは、主にドミナント7th コードに対して使われます。ドリアン･ビバップ･スケールは、主にマイナー7th コードに、メジャー･ビバップ･スケールは、メジャー6th かメジャー7th コードに対して、それぞれ使われます。通常スケールは７音のものが多いのですが、これらのビバップ･スケールは８音で構成されています。

ミクソリディアン･ビバップ･スケールは、普通のミクソリディアン･モードと比較すると、♭7th とオクターヴ上のルートの間にもう１つ音があるところが異なります。以下に示したのはＣミクソリディアン･ビバップ･スケールです。

ミクソリディアン･ビバップ･スケール

ドミナント7th コード上で使用できる

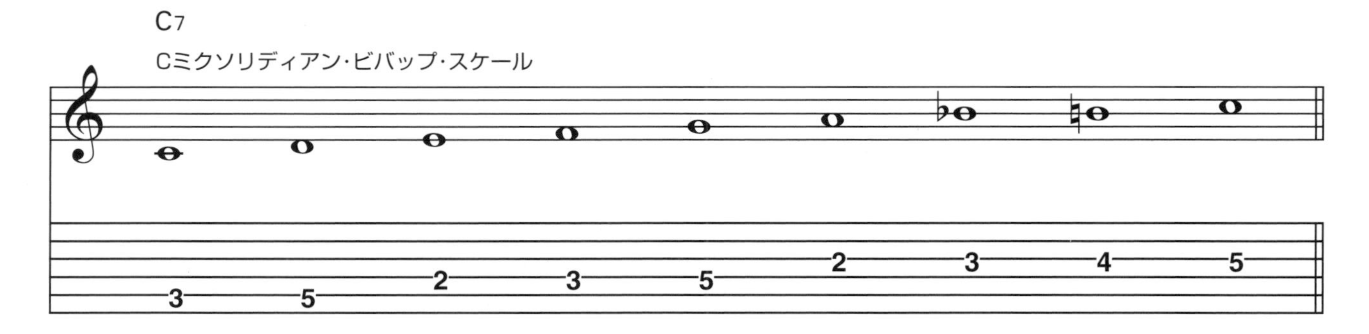

ミクソリディアン･ビバップ･スケールのフィンガリング

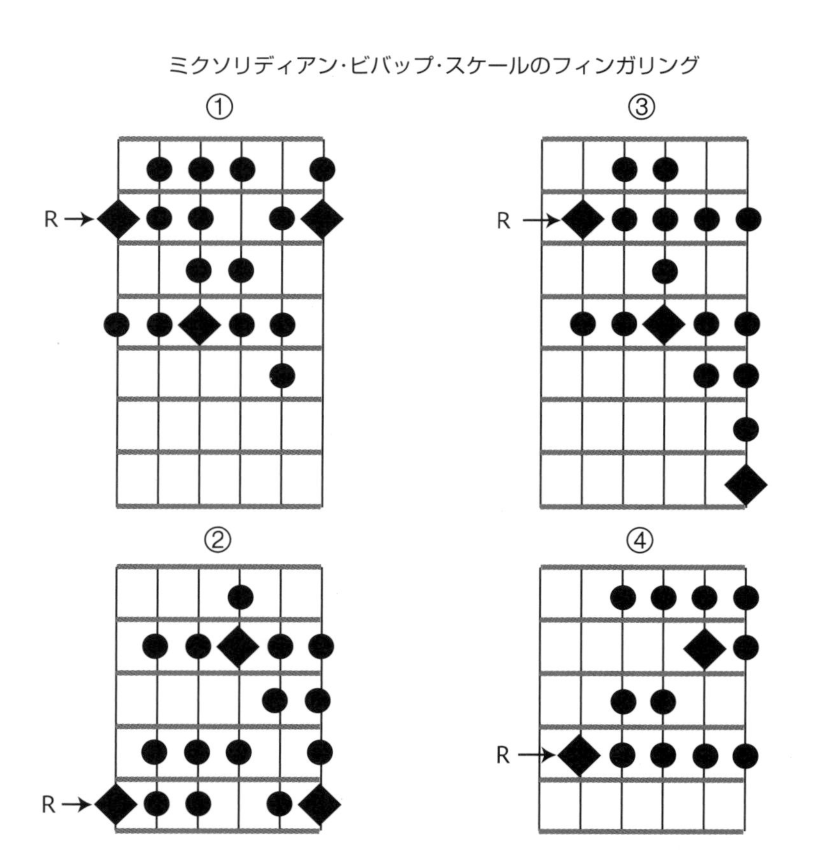

プレイヤーがコード･トーンからこの８音スケールを始めると、ドミナント7th コードの各コード･トーンはダウンビート（強拍）にきます。それは、ビバップ･スケールが８音スケールなので、4/4 拍子ならば、８分音符を使ってスケールをダウンビートから演奏すれば各コード･トーンは自動的にダウンビートにくるということを意味します。

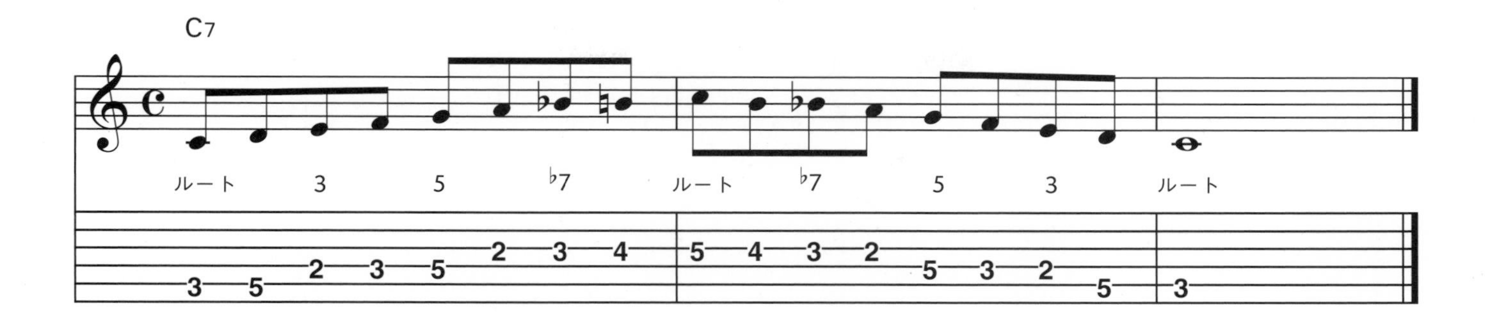

以下は、ドミナント･コード上のソロで、実際にこのスケールをどのように使っているかを示した例です。

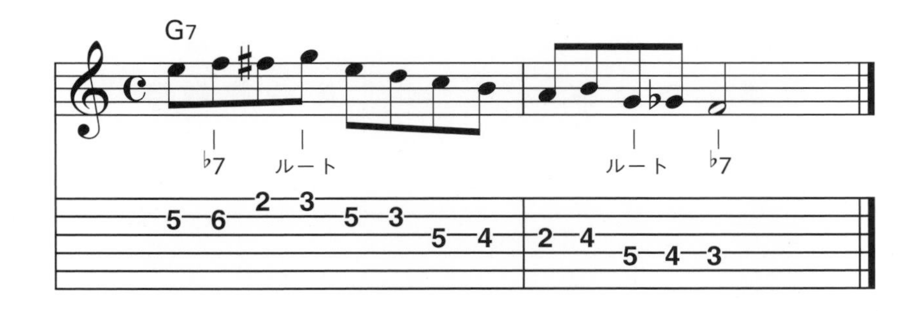

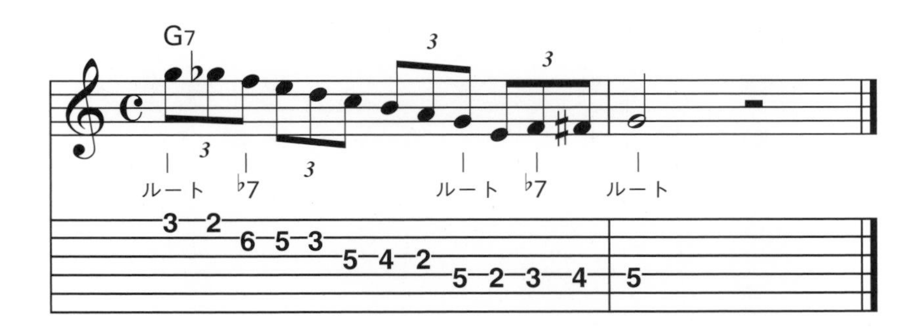

ドリアン・ビバップ・スケール

マイナー7thコード上で使用できる

ドリアン・ビバップ・スケールは、普通のドリアン・モードと比較すると、♭3rdと4thの間にもう1つ音があるところだけが異なります。以下はCドリアン・ビバップ・スケールです。

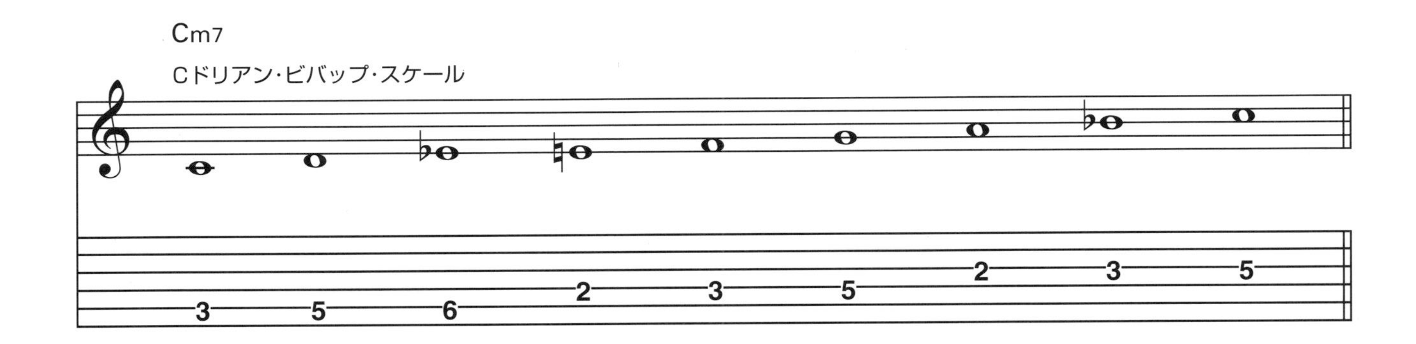

ドリアン・ビバップ・スケールのフィンガリング

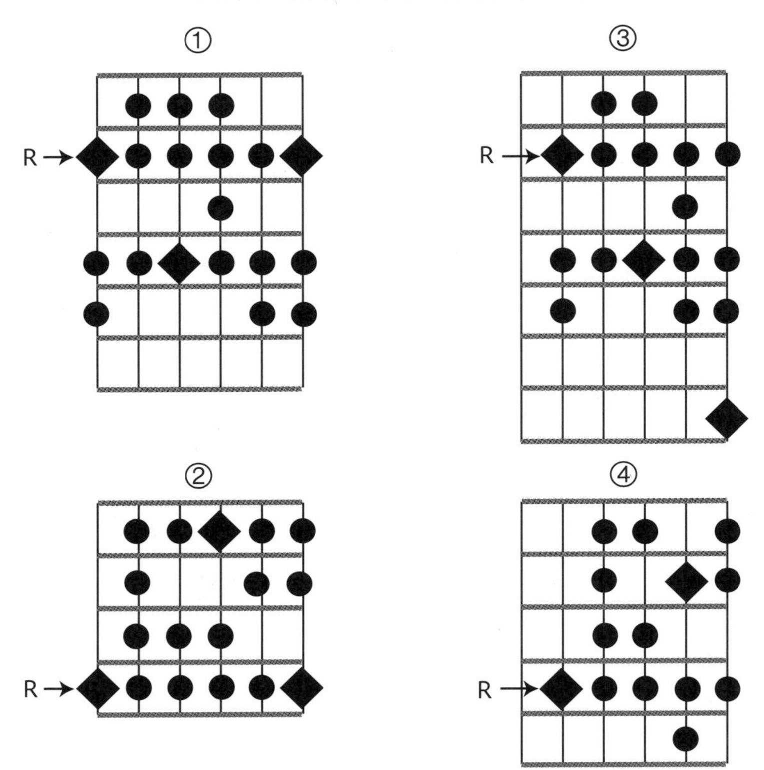

ドリアン・ビバップ・スケールも8音のスケールなので、8音全部を使うためには8分音符でぴったり4拍の長さが必要になります。しかし、このスケールはコード・トーンから演奏し始めたとしても、全部のコード・トーンがダウンビートにくるとは限りません。多くのジャズ・ミュージシャンは、コードの4thの音から（Dm7コードの場合はG音から）始めて、3rdの音（F音）へ、このスケールを利用してクロマティック（半音階的）に導いています。以下は、マイナー7thコードに対して、実際にこのスケールがどう使われるのかを示した例です。また、ジャズ・ミュージシャンがよくCm7コード上でF7のフレーズを使うのは、マイナー7thコードをその4度上のドミナント7thコードと同様に見なしているためです。

FからFへ、ドリアン・ビバップ

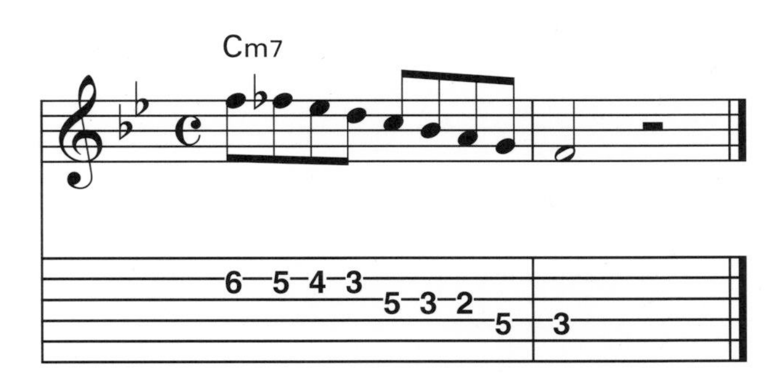

FからFへ、ミクソリディアン・ビバップ

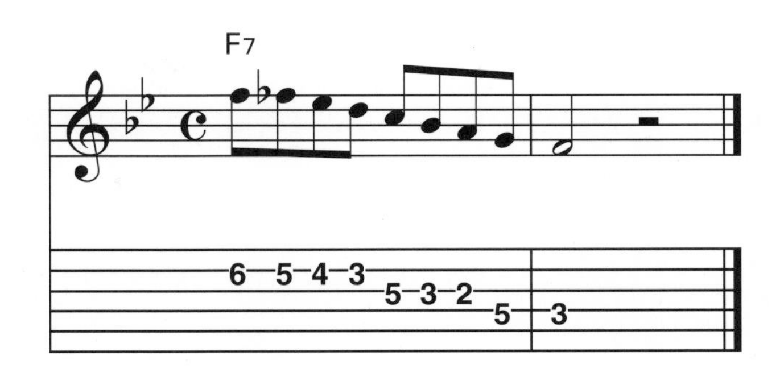

メジャー・ビバップ・スケール

メジャーコード上で使用できる

メジャー・ビバップ・スケールは、通常のメジャー・スケールと比較すると5thと6thの間にもう1つ音があるところが異なります。

メジャー・ビバップ・スケールのフィンガリング

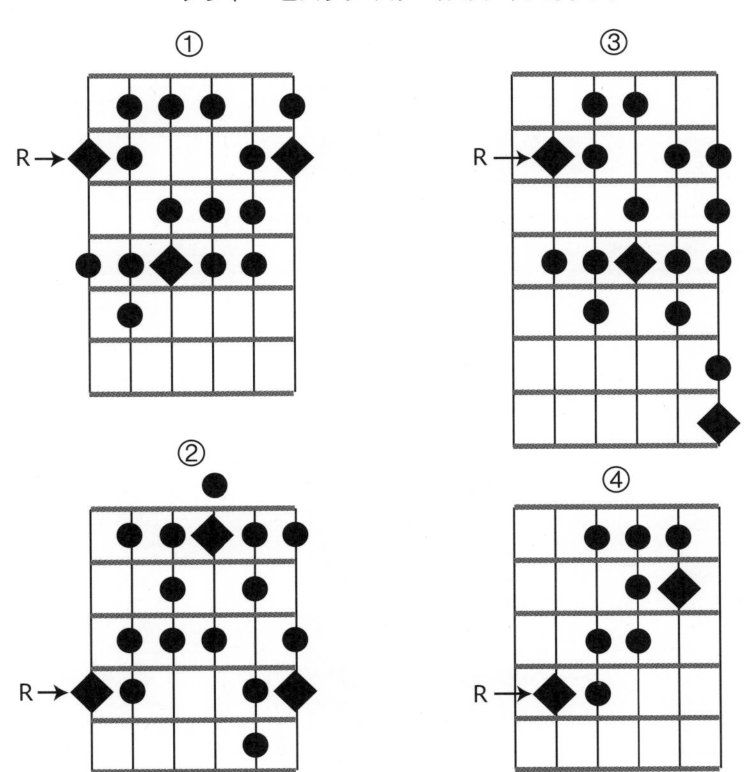

メジャー・ビバップ・スケールも、他のビバップ・スケールと同様に８音から成っており、８分音符で演奏すると４拍分の長さになります。メジャー 6th コードのコード・トーンからこの８音スケールを演奏すると、ダウンビートには各コード・トーンがくることになります。以下はＣメジャー・ビバップ・スケールと、それが実際にどう使われているかを示した例です。

ハーモニック・マイナー・スケール

ハーモニック・マイナー・スケールは、ビバップのスタイルを学ぶ上で重要なスケールの１つです。このスケールはマイナーの ii-V-I プログレッション上でよく機能します。このスケールがもつトニック・コードへと導くハーモニック（和声的）な力は非常に強く、聴く人にハーモニック（和声的）な安定感を与えます。

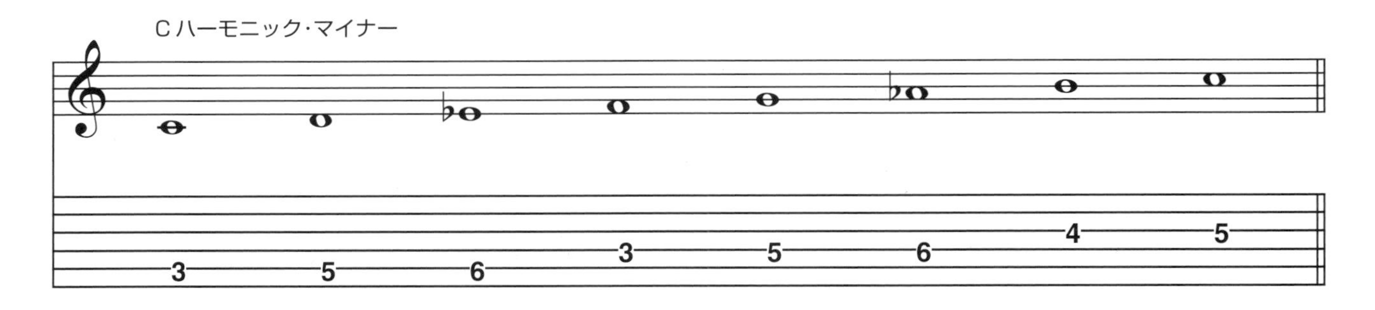

ハーモニック・マイナー・スケールのフィンガリング

① ② ③

R → R → R →

ii マイナー･コードとスケール

ドミナント♭9 ♭13 とスケール

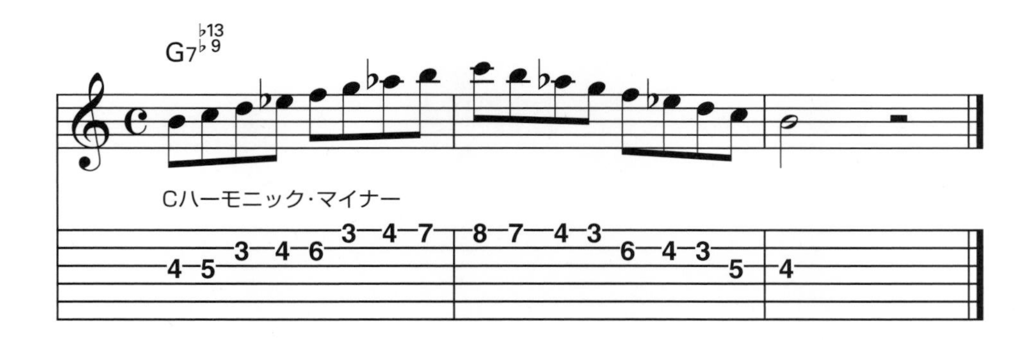

C ハーモニック･マイナー･スケールを使った、C マイナー･キーの ii - V - i プログレッション

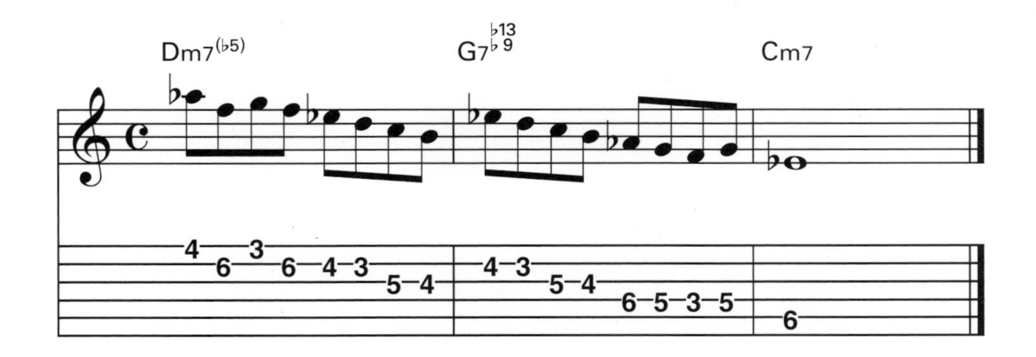

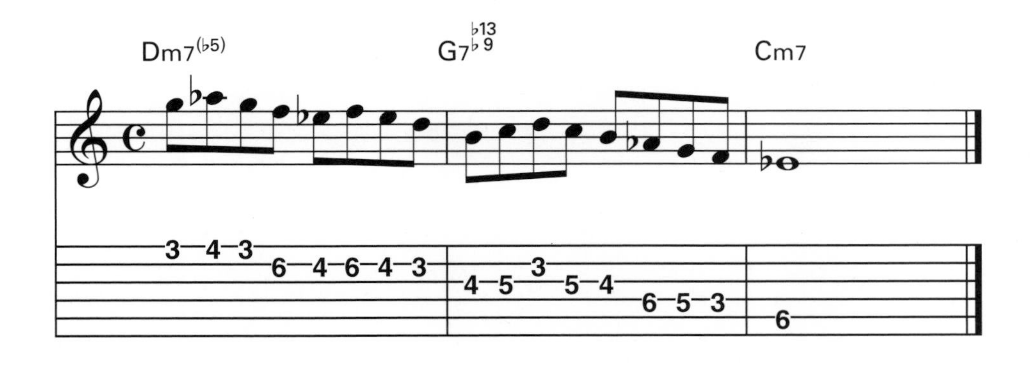

メロディック･マイナー･スケール

Cメロディック･マイナー･スケール

メロディック･マイナー･スケールのフィンガリング

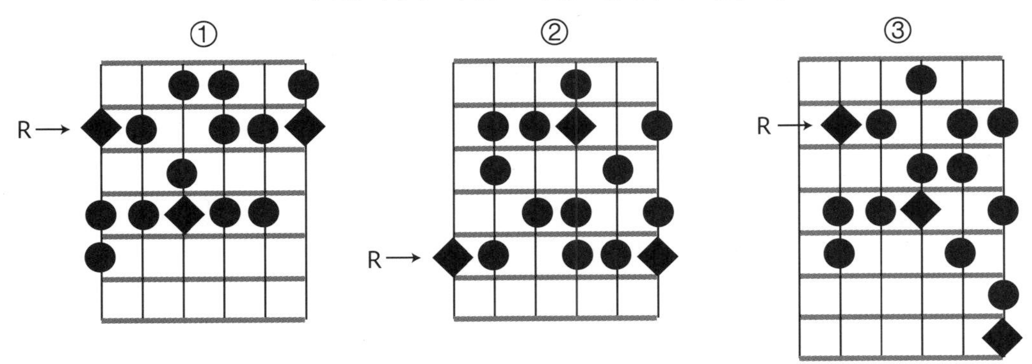

メロディック･マイナー･スケールは、おそらくジャズにおいて最も研究され、説明されてきたスケールの１つです。しかしながら、ここでは本書の目的に沿ってその機能と使い方についての簡単な説明に留めます（インプロヴァイズする時は、方向に関係なく上行形のメロディック･マイナーのみが使用されます）。

メロディック･マイナー･スケールは、オルタード･ドミナント･コード上でもっともよく使われます。その理由は、このスケールの第７音上にできるモードが♭9、♯9、♯11、♭13というすべてのオルタード･ノート（コードのアッパー･ストラクチャーとしても知られている）を含んでいるからです。このスケールはさらに、強いドミナント･ハーモニック･サウンドをもたらす3rdと♭7thも含んでいます。

オルタード･ドミナント･コード上におけるメロディック･マイナー･スケールの使い方をおぼえるコツは、コードのルートから見て半音上のメロディック･マイナー･スケールを使うというです。すなわち、C7altコード上ではD♭メロディック･マイナー･スケールを使います。

D♭メロディック･マイナー、CからCまで

CキーのV-Iプログレッション上でA♭メロディック・マイナー・スケールを使ったラインの例

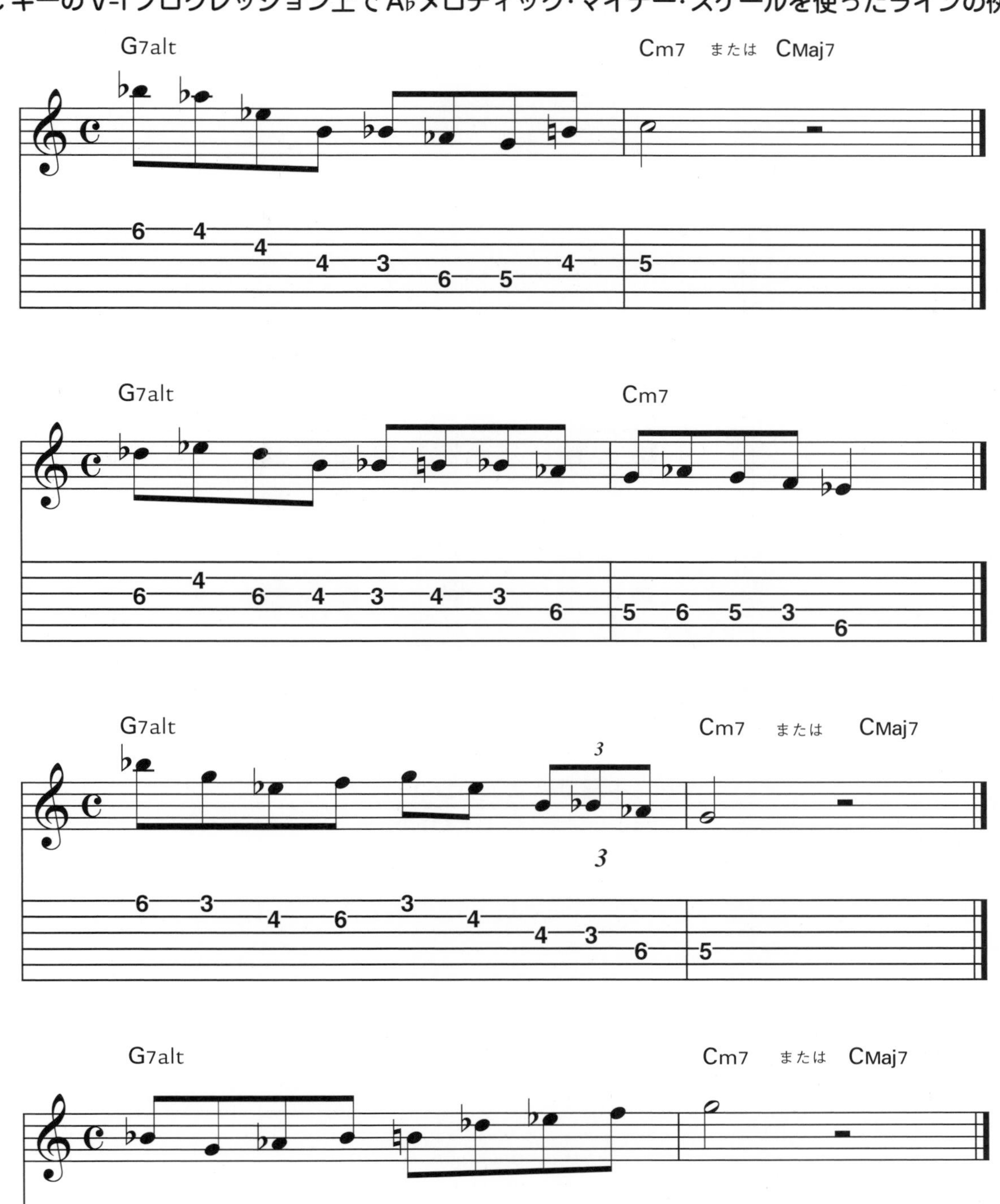

ディミニッシュ・スケール

ディミニッシュ・スケールは2種類あります。半音／全音ディミニッシュはドミナント・コードに対して、全音／半音ディミニッシュはディミニッシュ・コードに対して使用されます。ディミニッシュ・スケールはシンメトリックなスケール（半音、全音、半音、全音……）であり、どこにも解決することがないところが特徴的と言えます。シンメトリック・スケールで、3つの音ごとに同じパターンがくり返されるため、ディミニッシュ・スケールは3とおりしか存在しません。このことがこのスケールを学びやすくしています。

C半音／全音ディミニッシュ・スケール

♭9、♯9、♯11 を含むドミナント7th コード上で使用できる

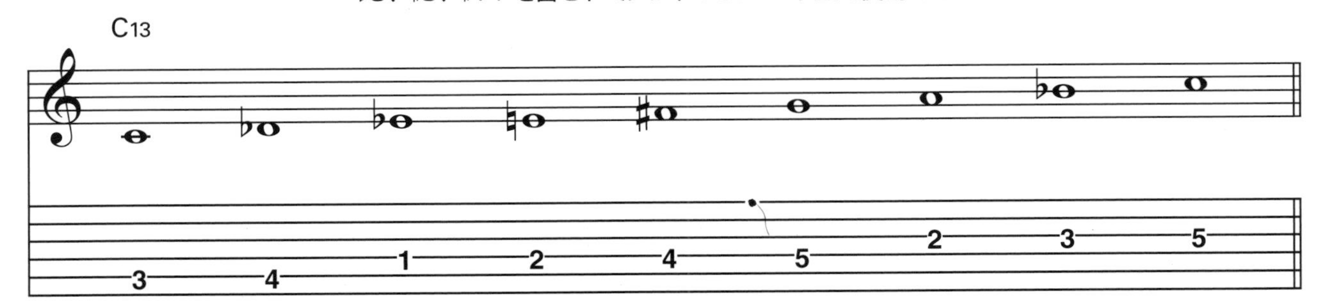

半音／全音ディミニッシュ・スケールのフィンガリング

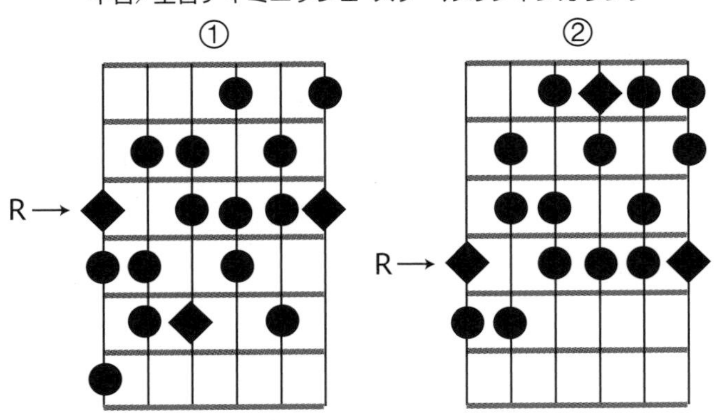

C全音／半音ディミニッシュ・スケール

ディミニッシュ・コード上で使用できる

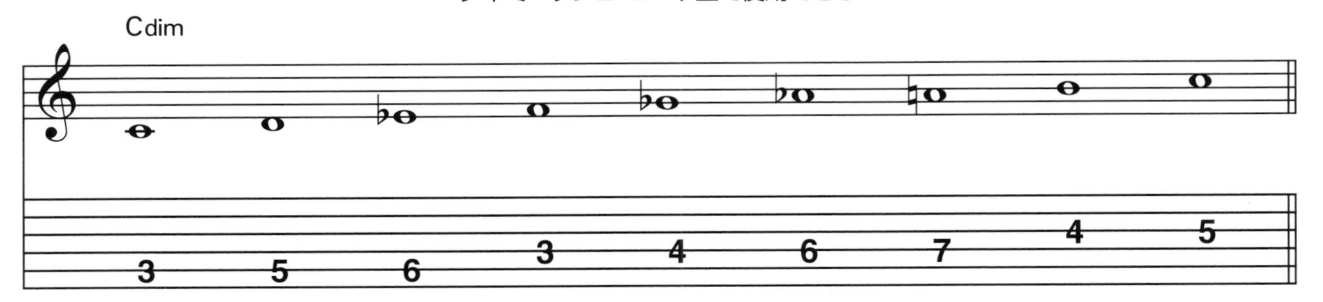

全音／半音ディミニッシュ・スケールのフィンガリング

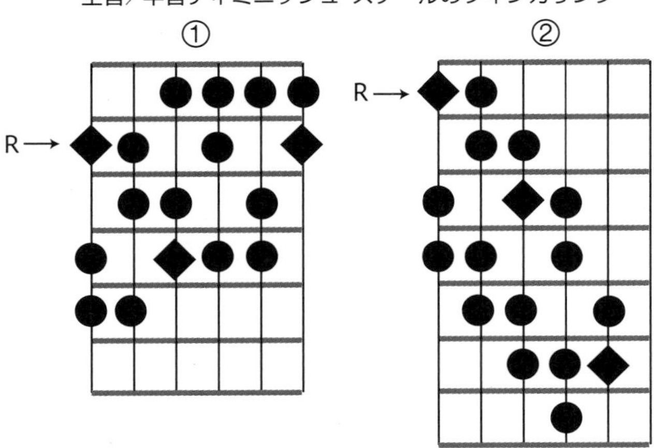

メロディック・マイナー・スケールと同様、半音／全音・ディミニッシュ・スケールもいくつかのオルタード・ノートをもっており、その中には♭9、♯9、♯11 が含まれています。このスケールはさらに、3rd、6th（13th）、♭7th も含んでいます。このスケールは弾きやすいという理由から、ピアニストやギタリストによく使われます。以下の例は、ドミナント 13（♭9）コード上でディミニッシュ・スケールがいかによく機能するかを示しています。

G 半音／全音ディミニッシュ・スケール

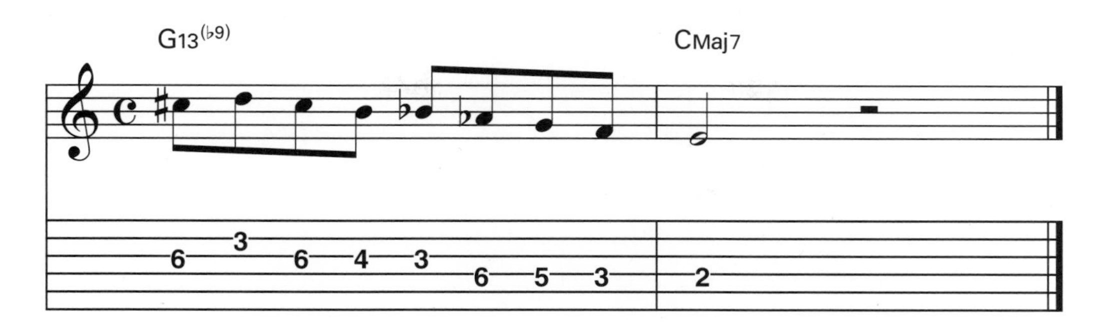

G 半音／全音ディミニッシュ・スケール

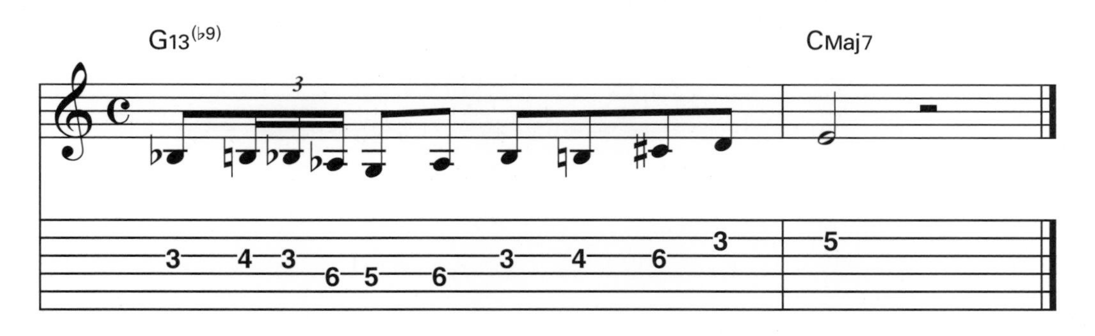

G 半音／全音ディミニッシュ・スケール

G 半音／全音ディミニッシュ・スケール

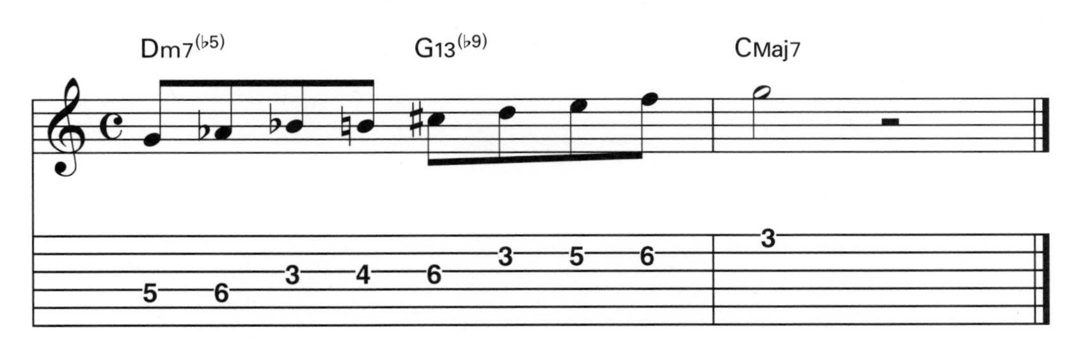

3rdから♭9thへ

3rdから9thへという動きは、ドミナント7thコード上で使用するテクニックであり、ビバップ言語の重要な部分を占めています。多くのジャズ・ミュージシャンたちがこのサウンドを意識しており、1回や2回（またはそれ以上）は使ったことがあるでしょう。G7コードを例に説明すると、3rdの音はBで、♭9thの音はA♭です。3rdから♭9thへ動く方法はたくさんあります。もっとも基本的で分かりやすい方法は3rdから♭9thへ一気に跳ぶ方法です。それには、3rdから♭9thに上行するのと、3rdから♭9thに下行する方法があります。以下はその例です。

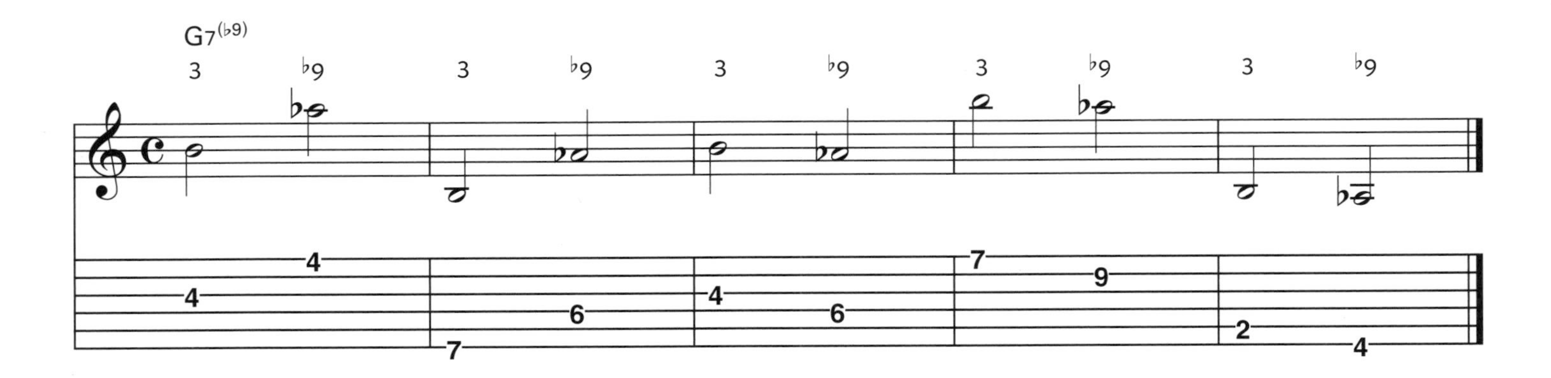

3rdから♭9thへ動くもう1つの方法は、ディミニッシュ7thコードのアルペジオを使うものです。ディミニッシュ7thコードは、それぞれのコード・トーンが短3度のインターヴァル（音程）で成り立っています。G7にディミニッシュ7thアルペジオを当てはめる場合、Gコードの3rdであるB音からスタートし、D音まで（上行または下行で）演奏します。次に、G7の♭7th（F音）に上行あるいは下行します。そしてF音からA♭音へ上行または下行します。アルペジオのパターンはひとつだけではなく、複数のパターンを試しましょう。パターンを変えることで、異なるサウンドが得られます。

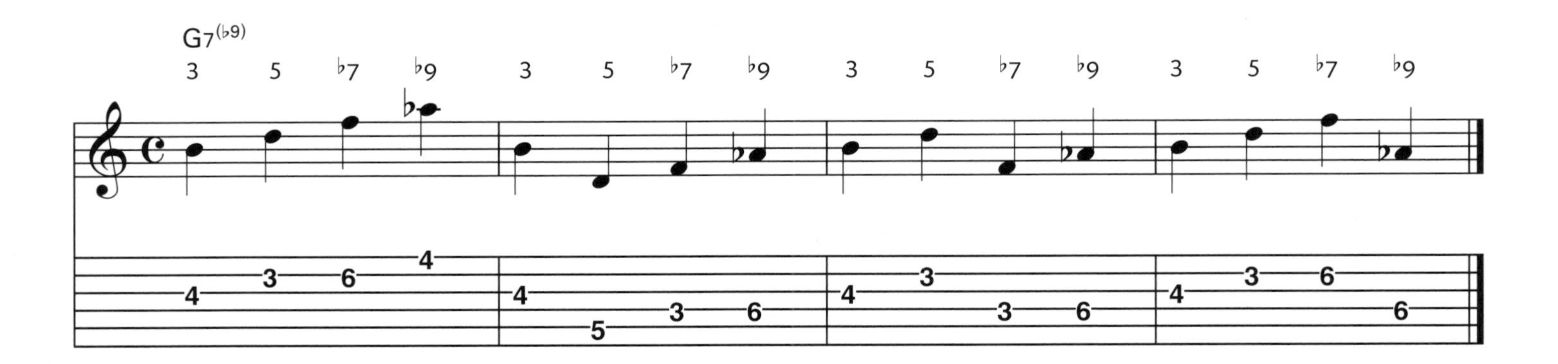

3rdから♭9thへの動きは、ドミナント7thコードが4度上（5度下）のメジャー・コードに解決する場合（G7-C）に効果的に機能します。それはG7からCという進行において、G7の♭9thであるA♭音がCコードの5thであるG音に導かれる形で解決するためです。

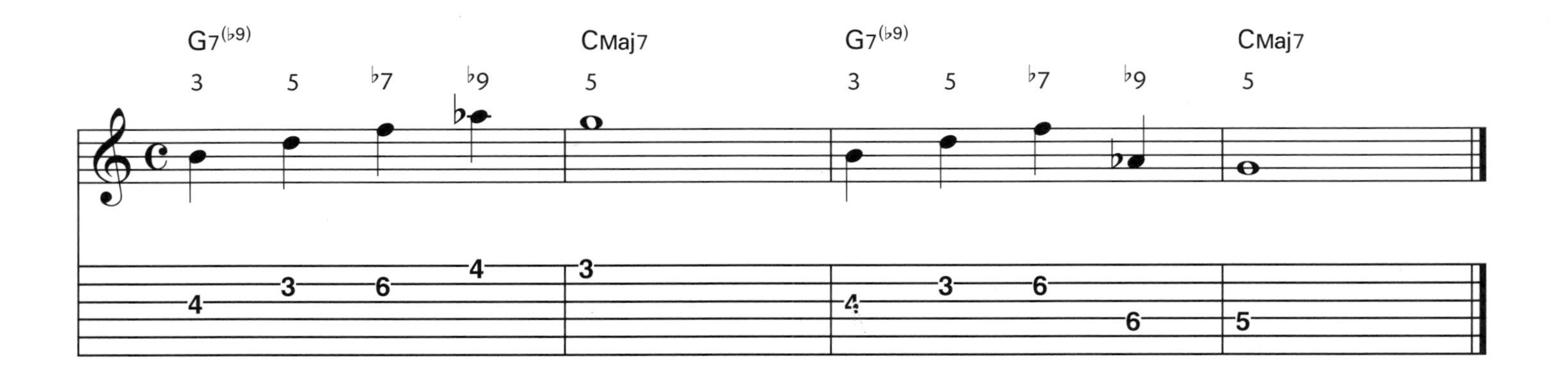

以下のラインは、実際にV-Iプログレッションの中でどう使われるのかを示した例です。

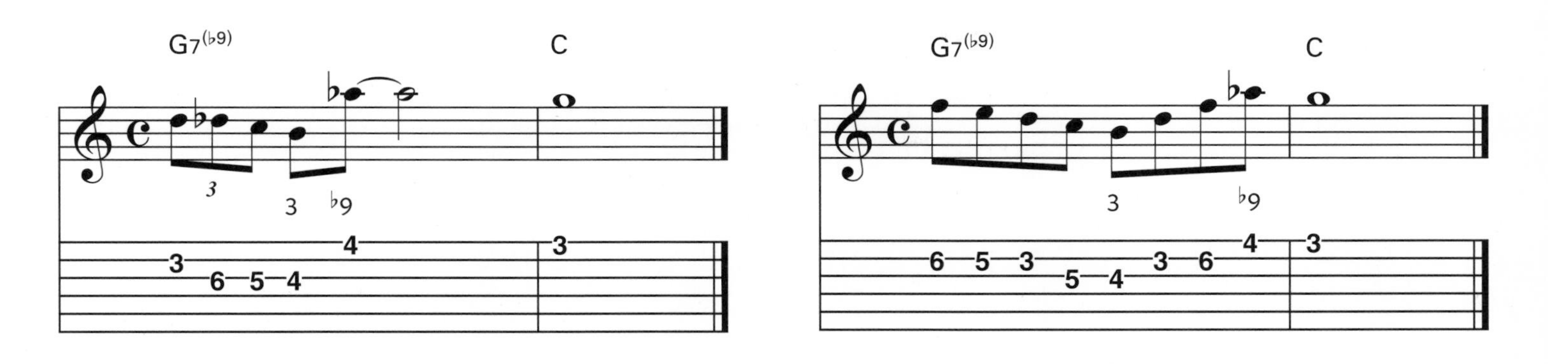

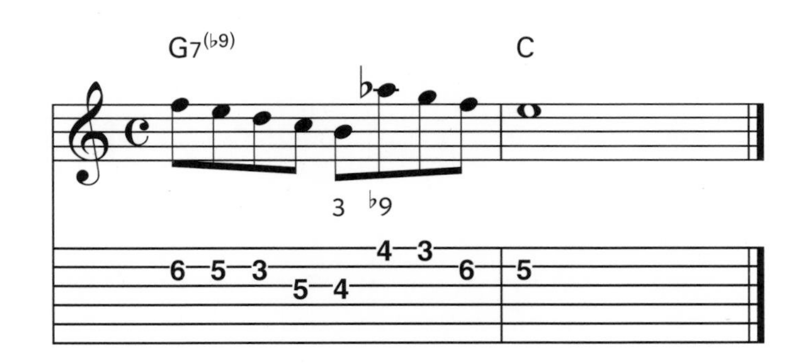

このテクニックは、12のキーすべてで練習することが重要です。練習することによって、あなたがインプロヴァイズするときに、このマテリアル（素材）を自在に使えるようになります。

前で述べたように、ハーモニック・マイナーはオルタード・ドミナント・コード上で効果的に機能し、マイナーのiコードへ解決します。以下の例における各スケール・ディグリー、特に3rdと♭9thに注目しましょう。

B♭ハーモニック・マイナー・スケール

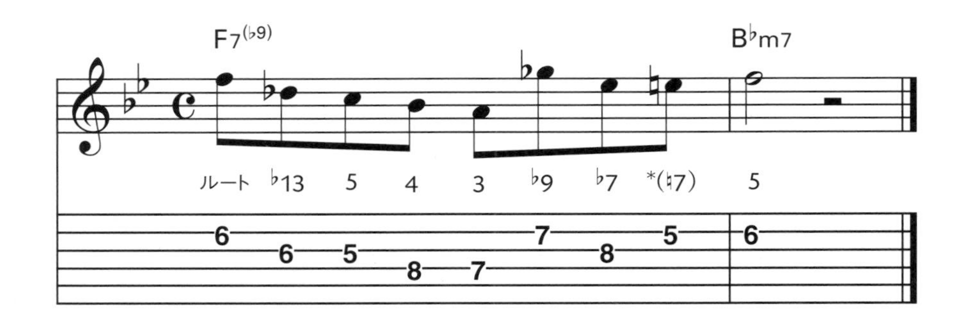

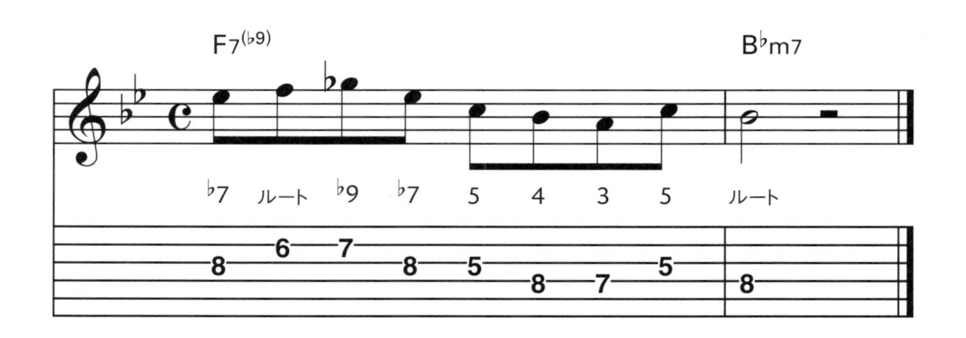

*(　)付の数字はアプローチ・ノートで、コード・トーンではない。

3rd から♭9th へ

以下のコード・ダイアグラムは、3rd から♭9th への動きをギターで演奏するためのフィンガリングを表しています。音の跳躍やアルペジオは、上行、下行どちらでも使われます。

フィンガリング・チャート

○＝ルート音（R）

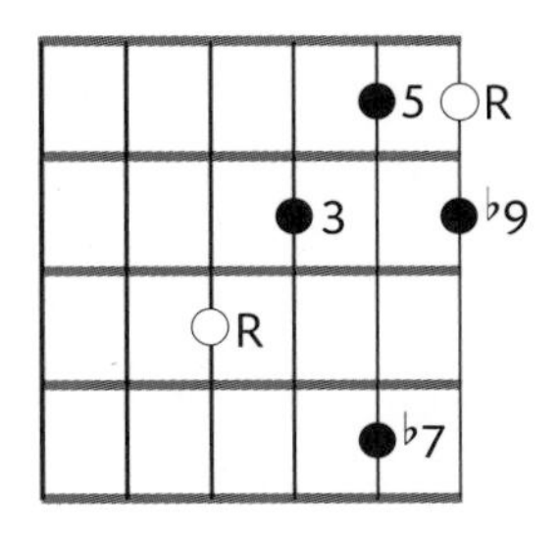

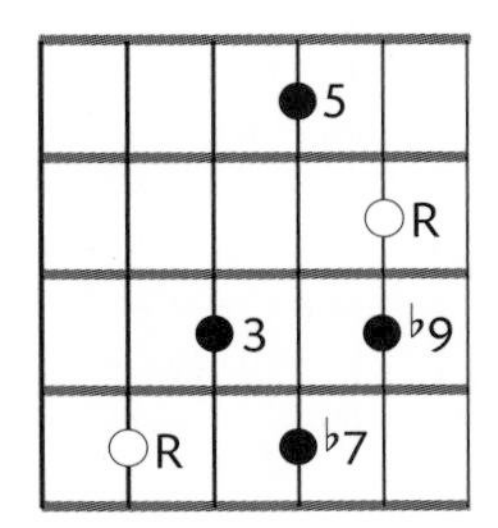

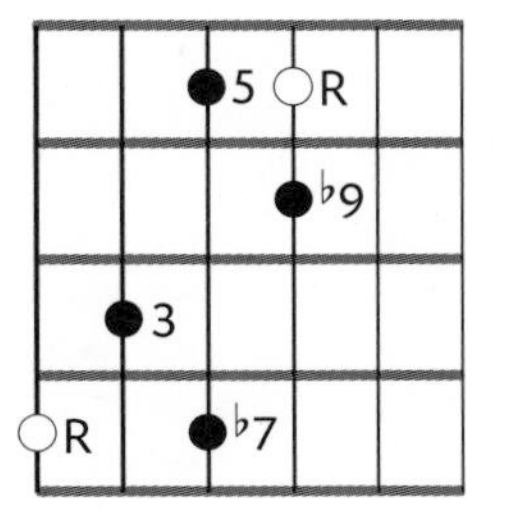

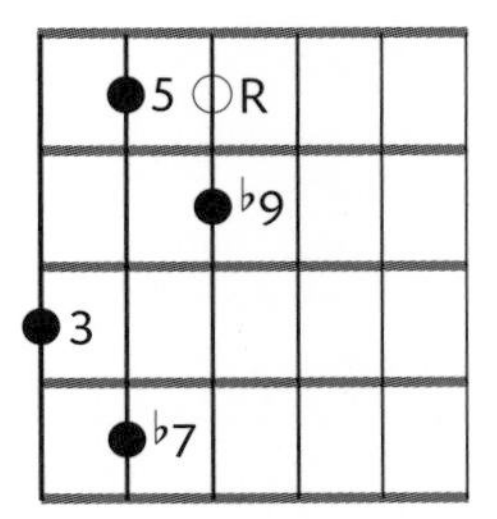

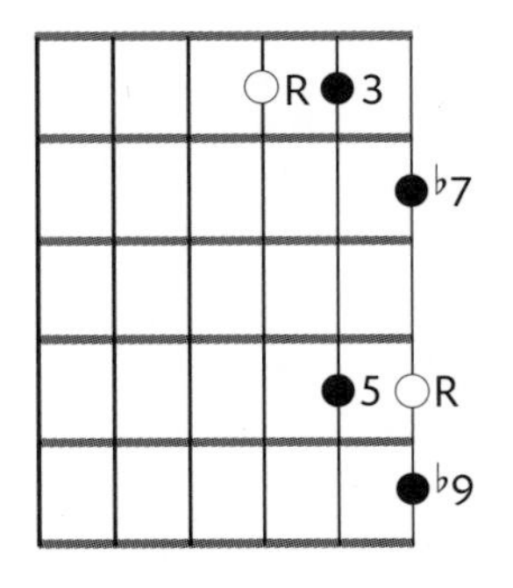

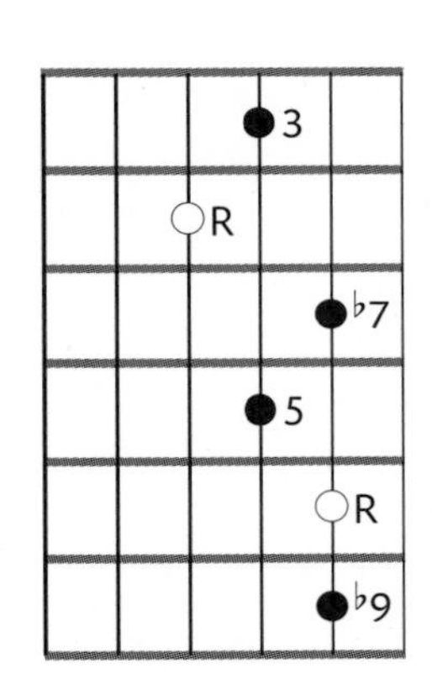

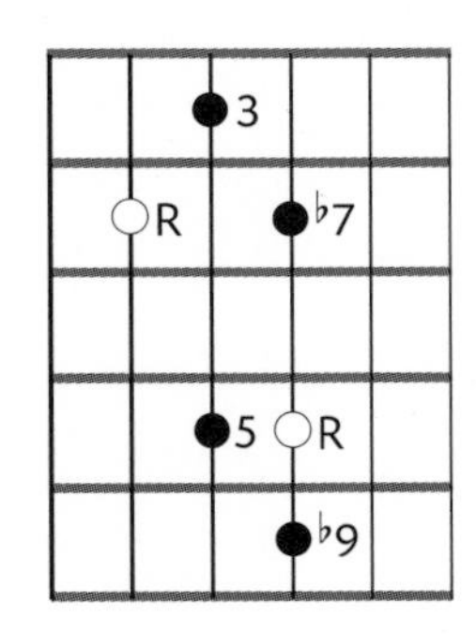

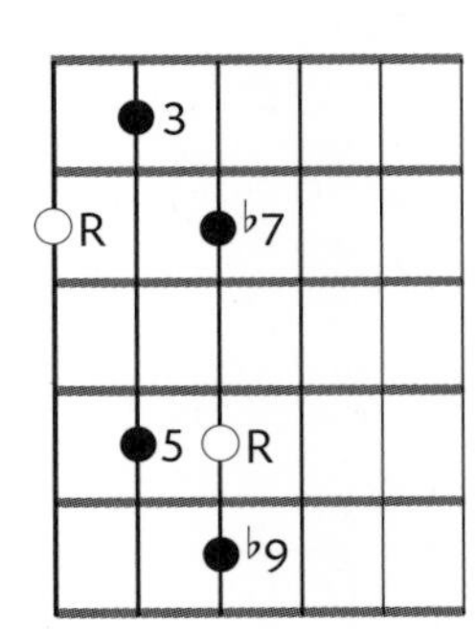

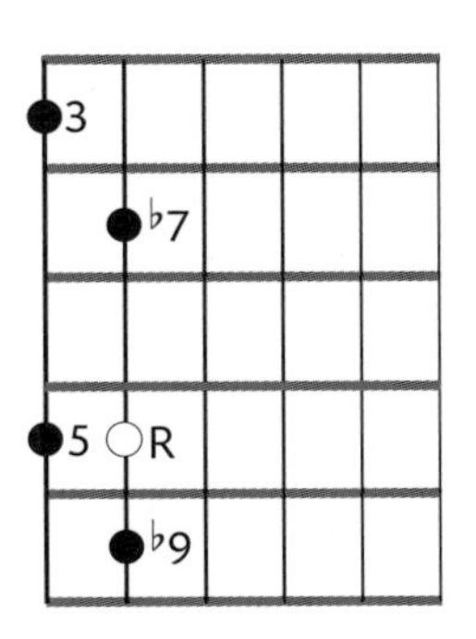

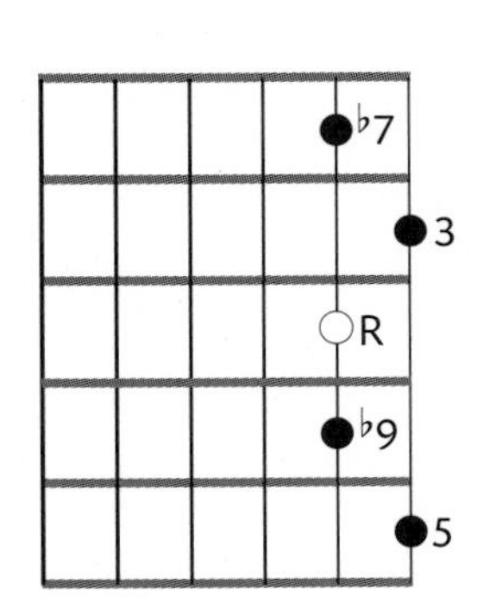

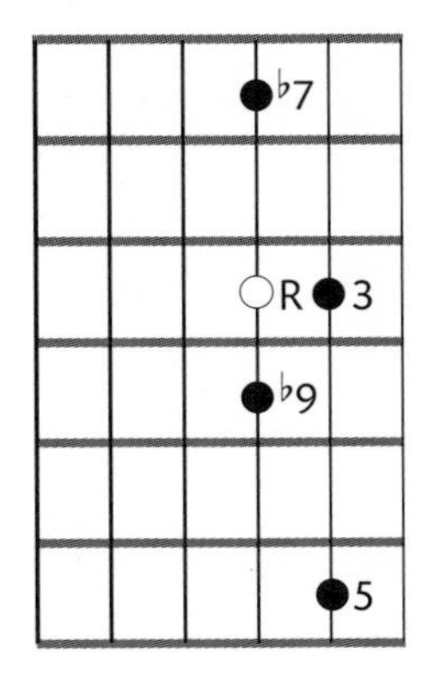

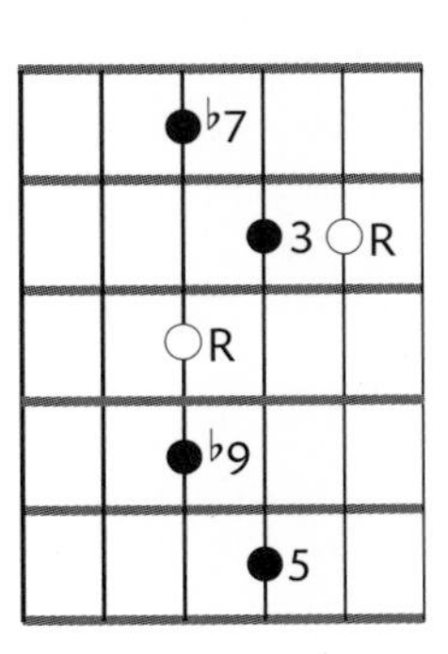

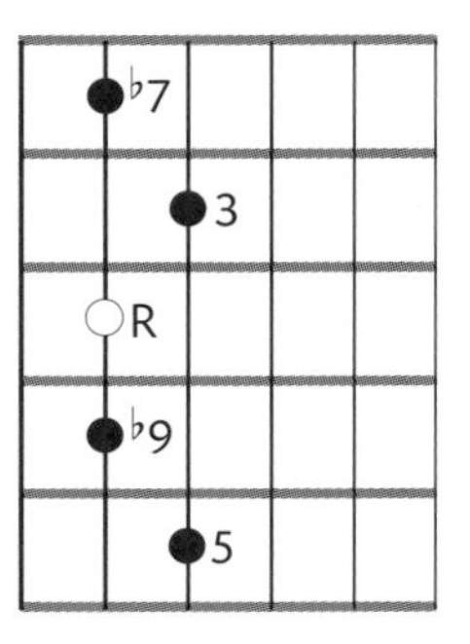
♭7
3
R
♭9
5

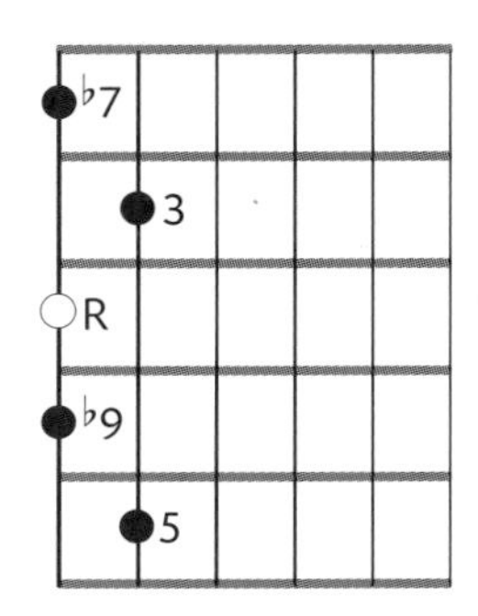
♭7
3
R
♭9
5

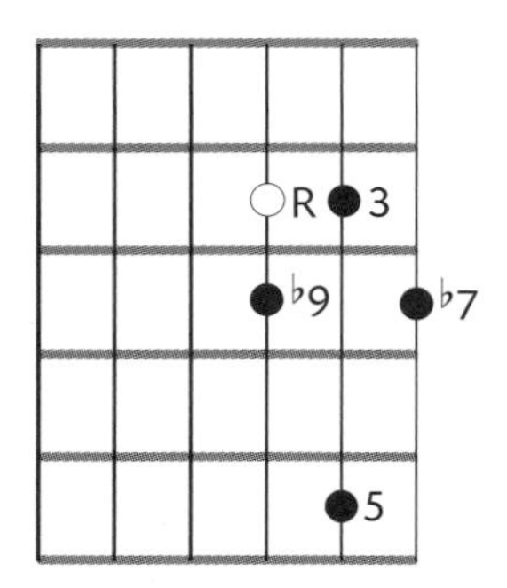
R
3
♭9
♭7
5

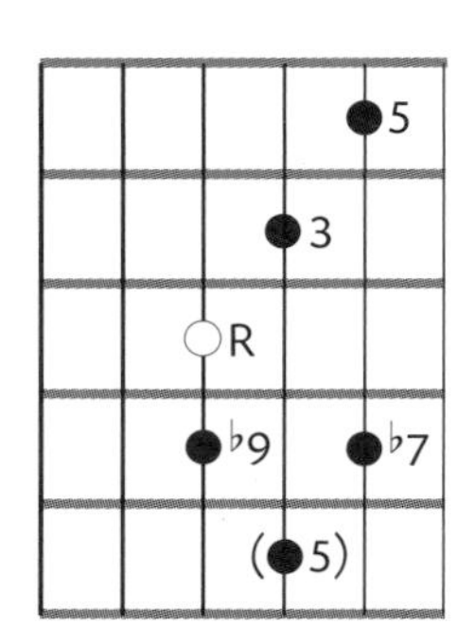
5
3
R
♭9
♭7
(5)

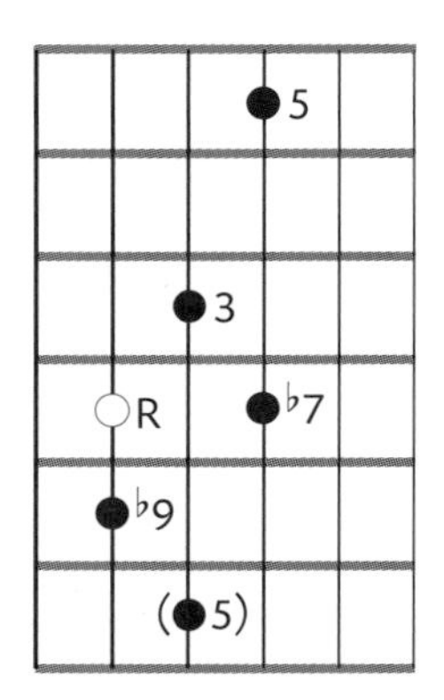
5
3
R
♭7
♭9
(5)

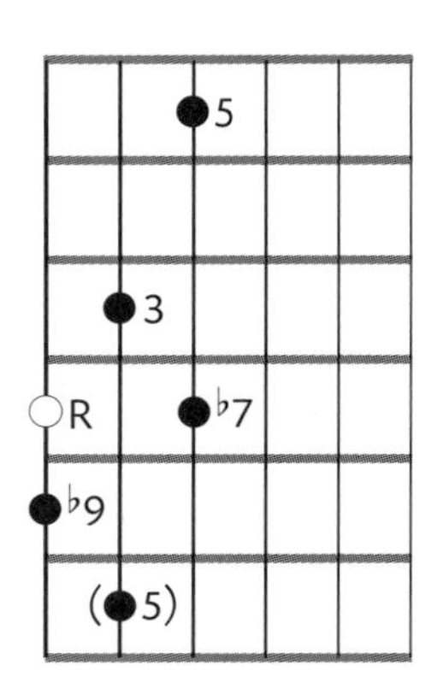
5
3
R
♭7
♭9
(5)

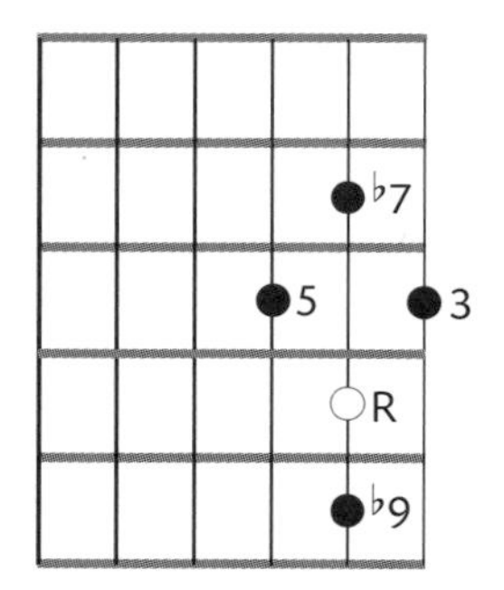
♭7
5
3
R
♭9

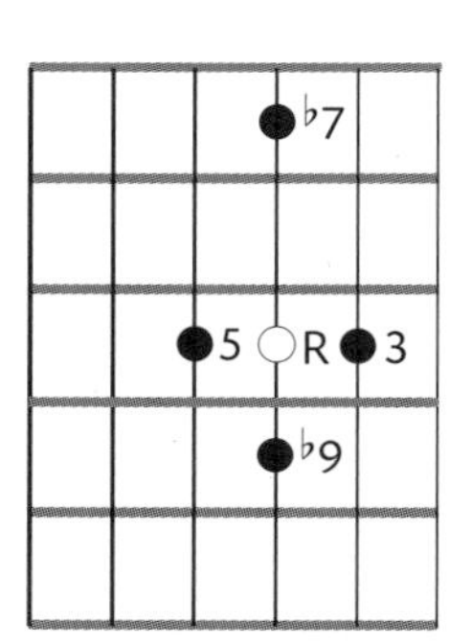
♭7
5
R
3
♭9

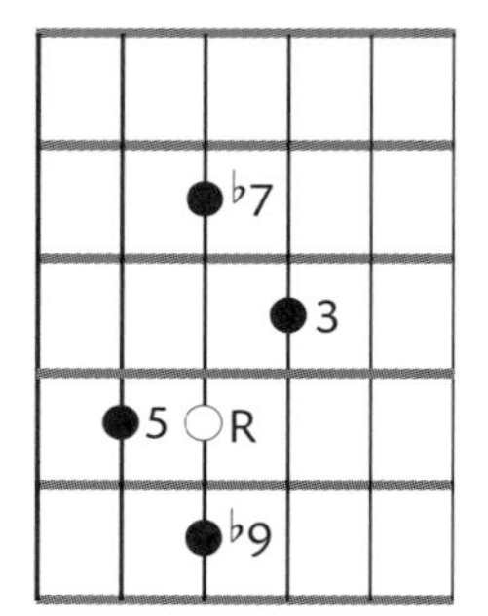
♭7
3
5
R
♭9

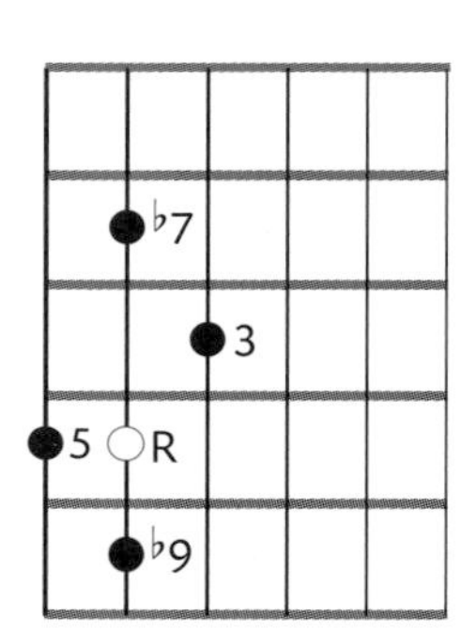
♭7
3
5
R
♭9

コードのアッパー・ストラクチャー

セカンダリー・アルペジオ

マイルスが使ったインプロヴィゼイション・テクニックとして、コードのアッパー・ストラクチャーを使ったアルペジオがあります。コードのアッパー・ストラクチャーとは、コード・トーンの7thより上に構成される音を指しています。例えば、CMaj7コードは、ルート（C）、メジャー3rd（E）、パーフェクト5th（G）、メジャー7th（B）で成り立っており、これらの音はCメジャー・スケールから引き出されています。そしてCMaj7のアッパー・ストラクチャー・コード・トーン（エクステンション）は、9th（D）、11th（F）、13th（A）の3音になります。以下はCMaj7とC7におけるコードおよびアッパー・ストラクチャーの関係を示したものです。

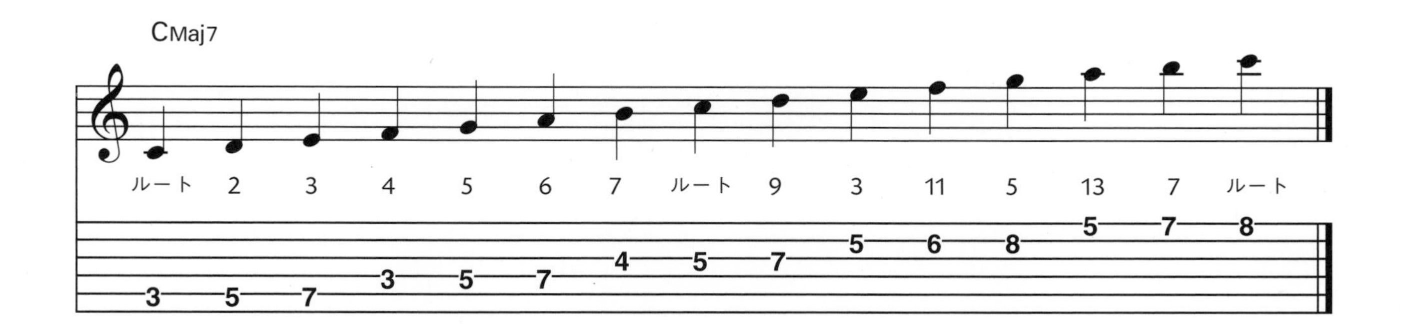

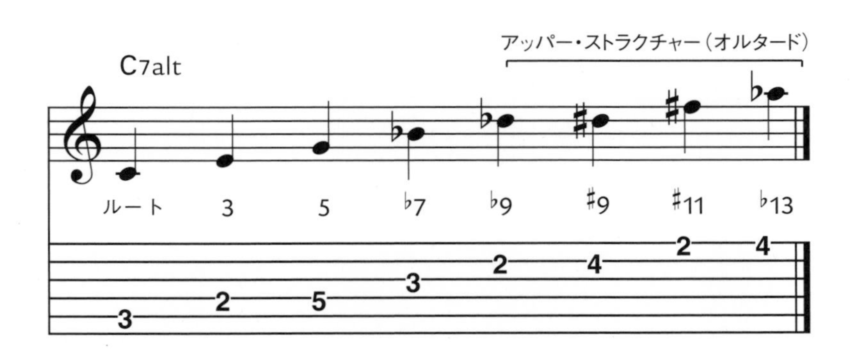

マイナー・コード上でアッパー・ストラクチャーを使った時のサウンドを聴いてみましょう。例えば、Dm7コードはルート(D)、♭3rd(F)、5th(A)、そして♭7th(C)から成り立っています。そして、このマイナー・コードのアッパー・ストラクチャーは9th(E)、11th(G)、そして13th(B)になります。

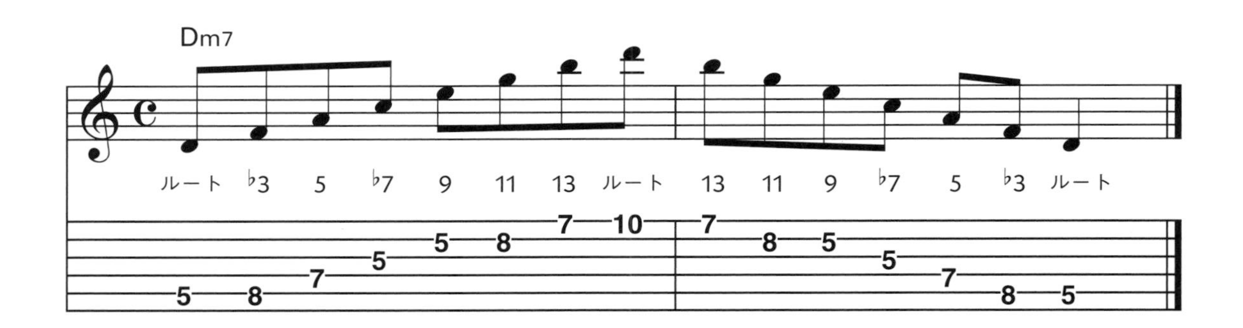

また、アッパー・ストラクチャー自体もコードを形成し、チェンジを生み出します。以下のDm7上のアルペジオをよく聴き、チェンジのサウンドに注目しましょう。

以下は、マイルスがラインの中で、どのようにアッパー・ストラクチャーを使っているかを示す典型的な例です。

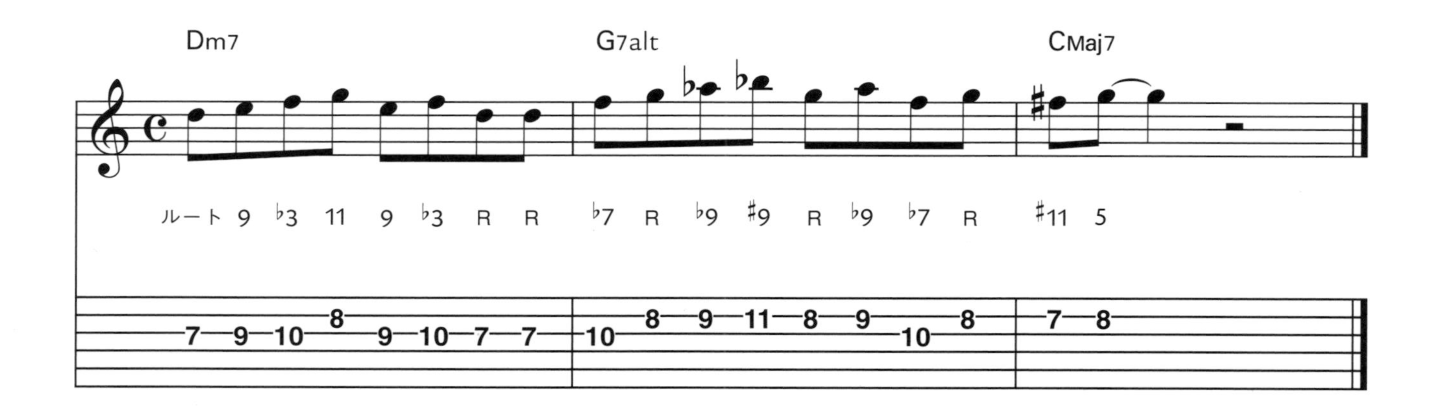

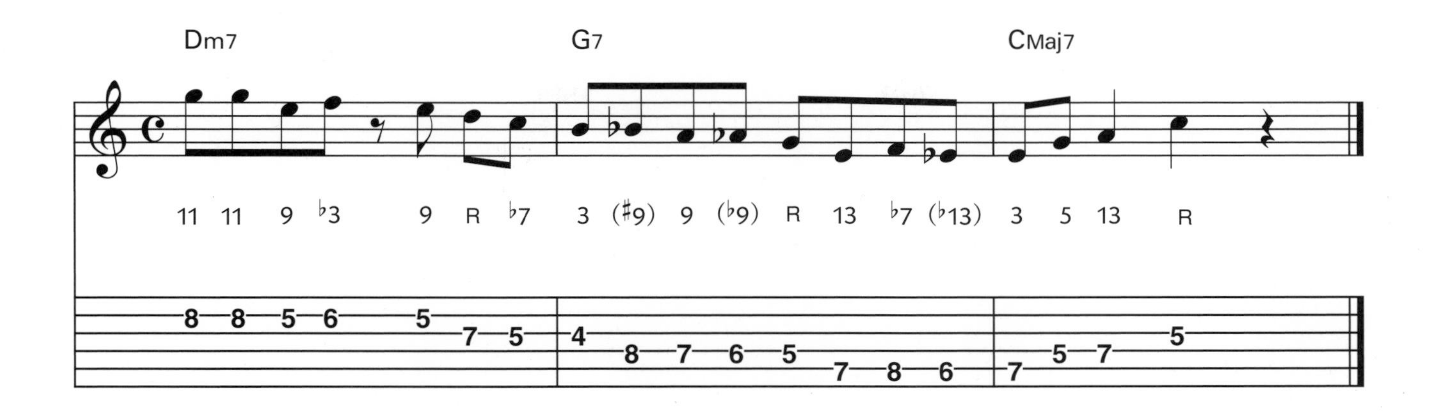
Dm7
G7
CMaj7
11 11 9 ♭3 9 R ♭7 3 (♯9) 9 (♭9) R 13 ♭7 (♭13) 3 5 13 R

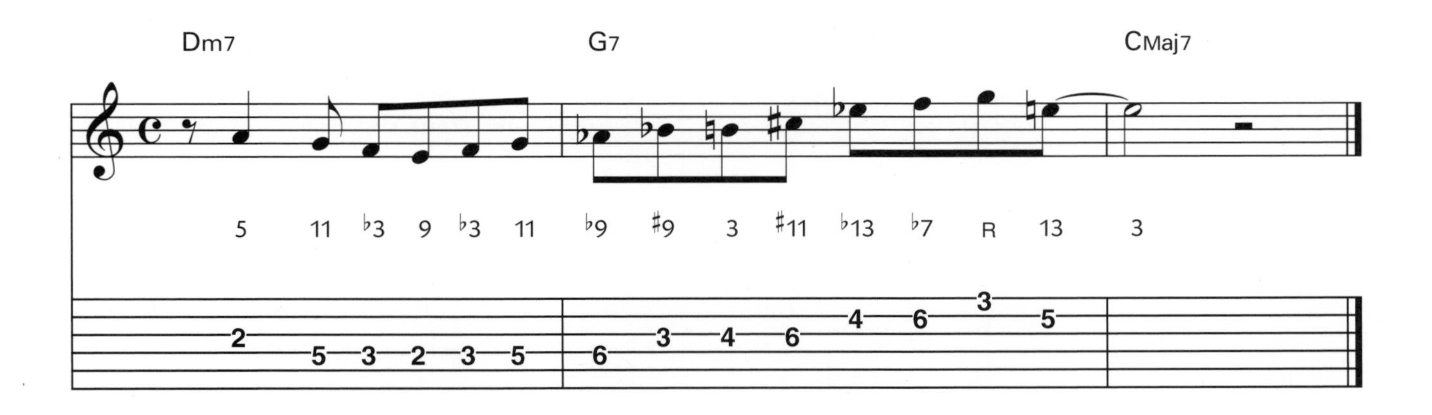
Dm7
G7
CMaj7
5 11 ♭3 9 ♭3 11 ♭9 ♯9 3 ♯11 ♭13 ♭7 R 13 3

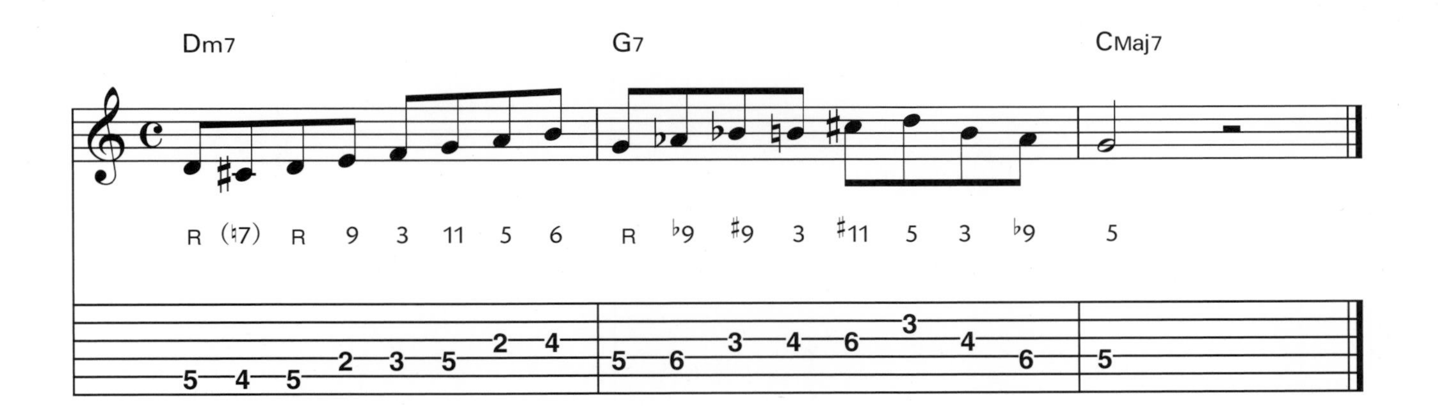
Dm7
G7
CMaj7
R (♮7) R 9 3 11 5 6 R ♭9 ♯9 3 ♯11 5 3 ♭9 5

ターゲッティング

ここでは、もう１つのビバップ・テクニックとして、ターゲッティングを紹介します。ターゲッティングとは、スケール・ノートやクロマティック・ノートを使ってコード・トーンへアプローチするテクニックです。これには非常に多くの方法がありますが、最も簡単なものは半音上または下からコード・トーンに解決する方法でしょう。以下に示したのは、Ｃメジャーのコード・トーンに対してこのテクニックを使用した例ですが、他のあらゆるコード（マイナー、ディミニッシュ他）に対しても使えるように理解しておくことが重要です。以下の例ではコード・トーンがダウンビートで演奏できるように配列してあります。

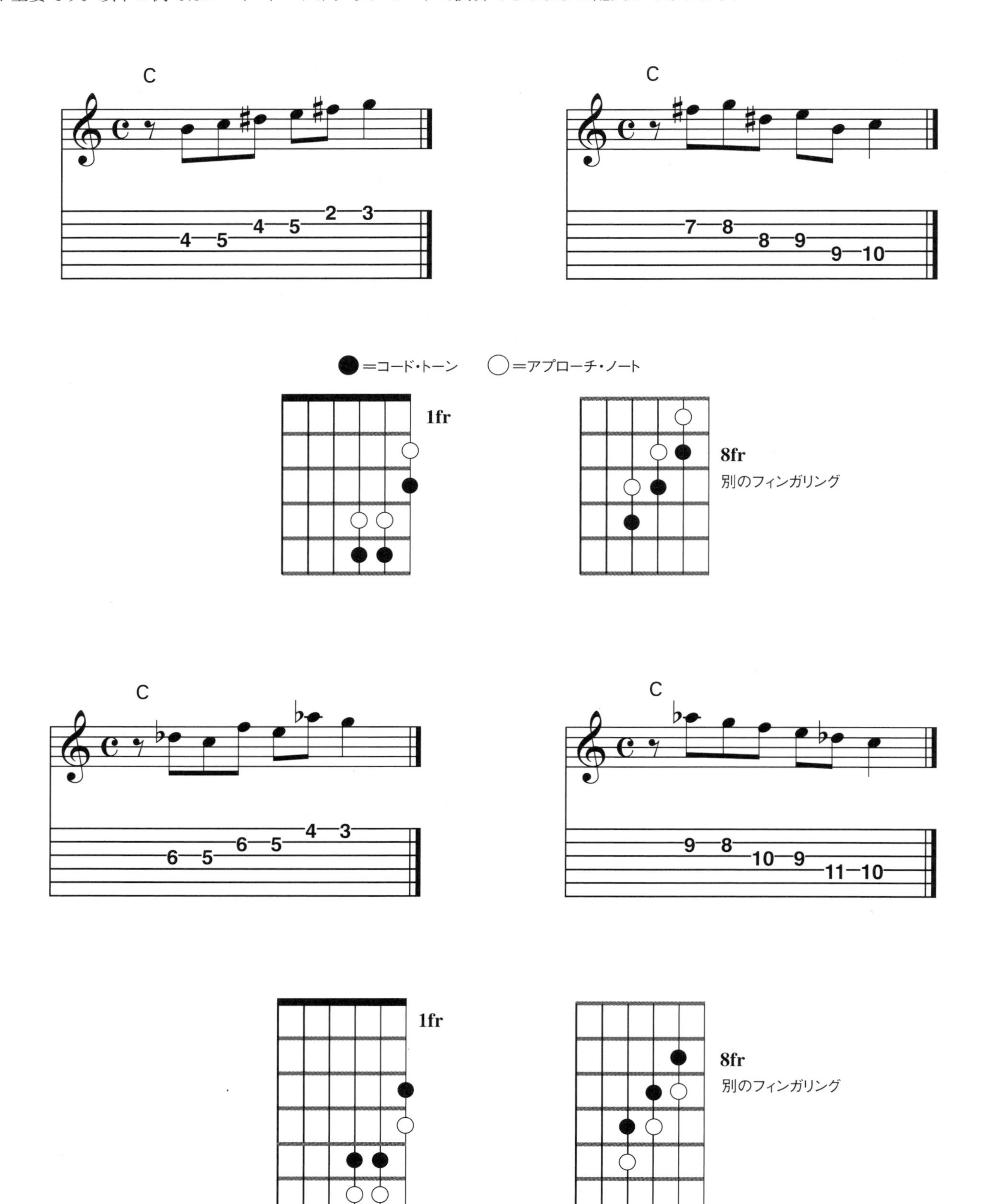

次は、エンクロージャー（囲い込む）と呼ばれるタイプのターゲッティングです。エンクロージャーとは、スケール・ノートまたはクロマティック・ノートを使って、文字どおりにコード・トーンを上下から囲い込む（挟む）ことをいいます。各例におけるノン・コード・トーンの順序は逆にすることもできます。

最初のタイプは、上からスケール・ノート、下からクロマティック・ノートのパターンです。

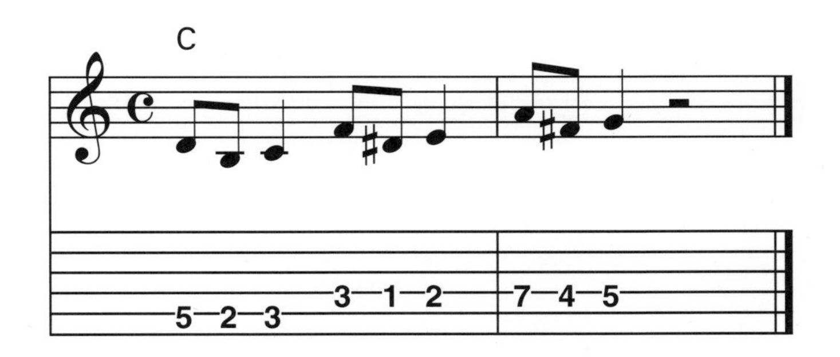

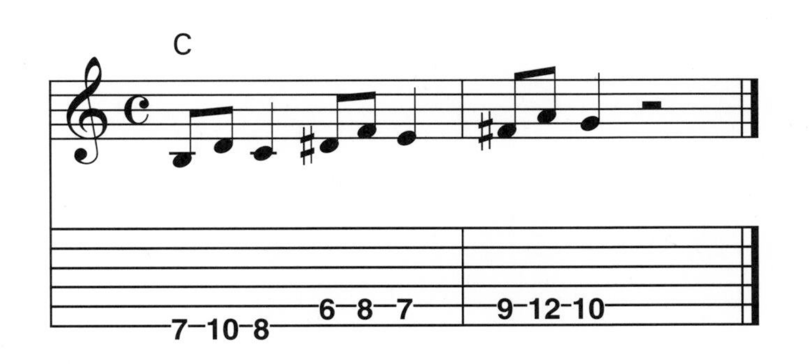

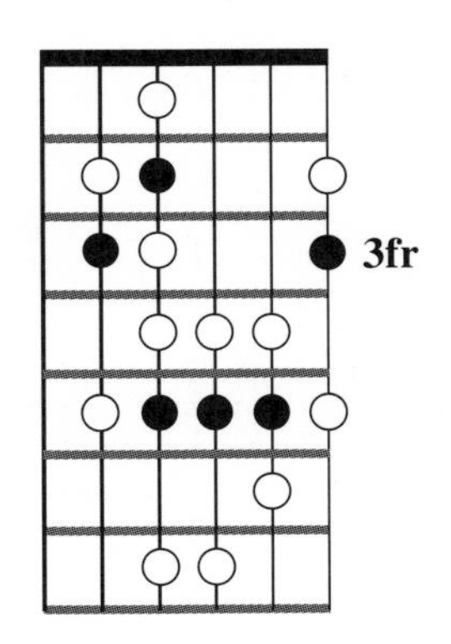

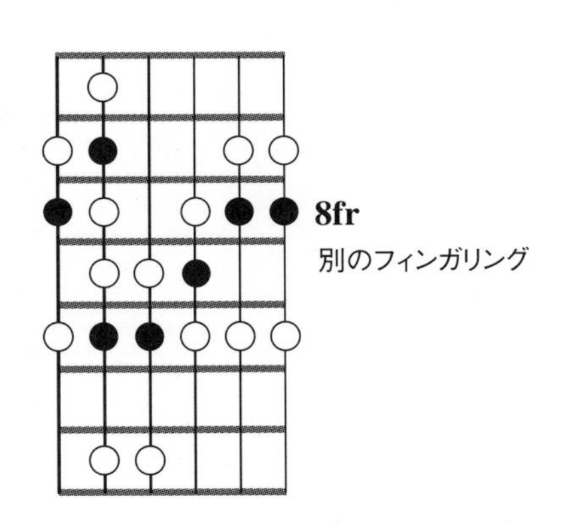

次のタイプは、下からスケール・ノート、上からクロマティック・ノートのパターンです。

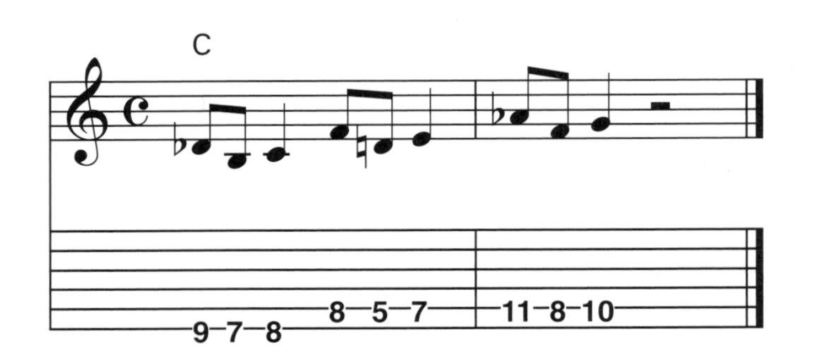

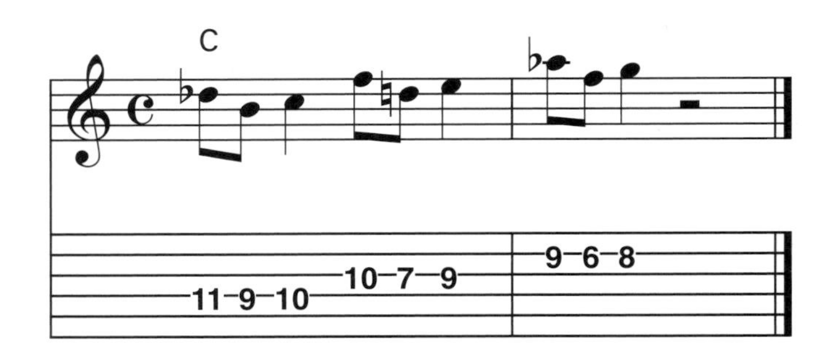

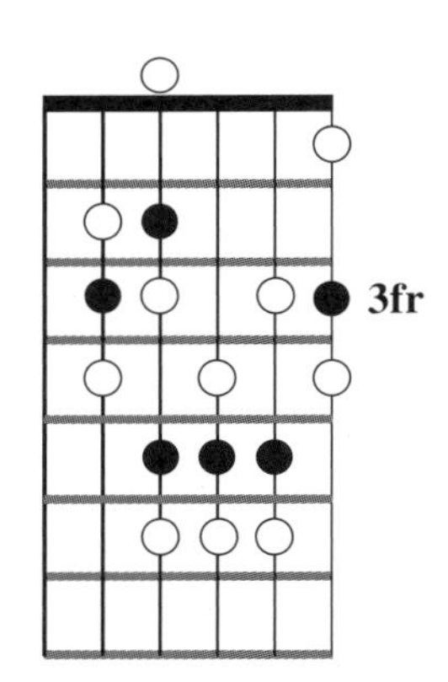

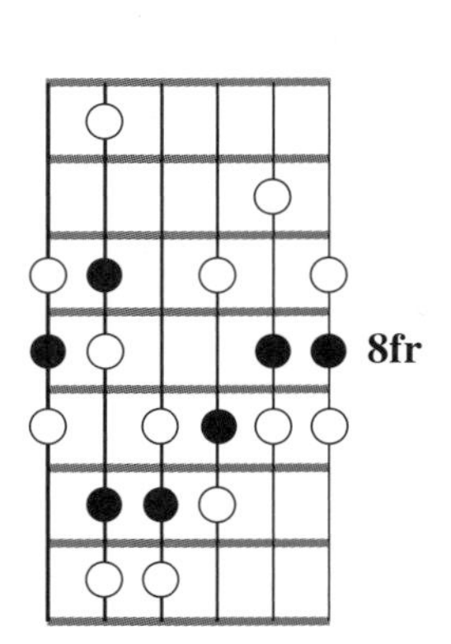

３音を使ったエンクロージャーでも、やはりスケール・ノートとクロマティック・ノートを組み合わせてコード・トーンの上下を囲い込むようにアプローチします。以下は、Ｃメジャー・コードに対してアプローチした例です。他のコード・トーンに対してもこのコンセプトを使いましょう。

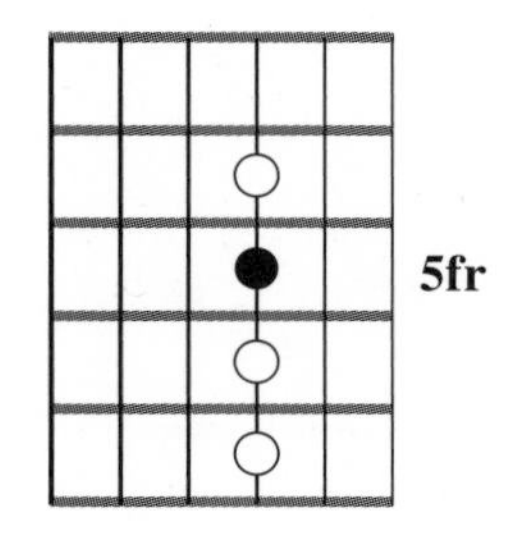

スケール・ノートとクロマティック・ノートを組み合わせてコード・トーンにアプローチする方法によって、インプロヴァイズするラインの組み立て方は、ほとんど無限に広がります。この組み合わせを使って、オリジナルのラインをたくさん創りましょう。

以下のラインは、ターゲッティング・テクニックをどのように使ったらよいのかを示した模範例です。

コード・トーンに対してターゲッティングを使うことに加えて、コードのアッパー・ストラクチャーにターゲッティングを使うこともできます。さらに可能性を拡げて、オルタードのアッパー・ストラクチャー・トーンに使用することもできます。これによって、変化に富んで、なおかつ効果的なクロマティック・サウンドを創ることができるでしょう。

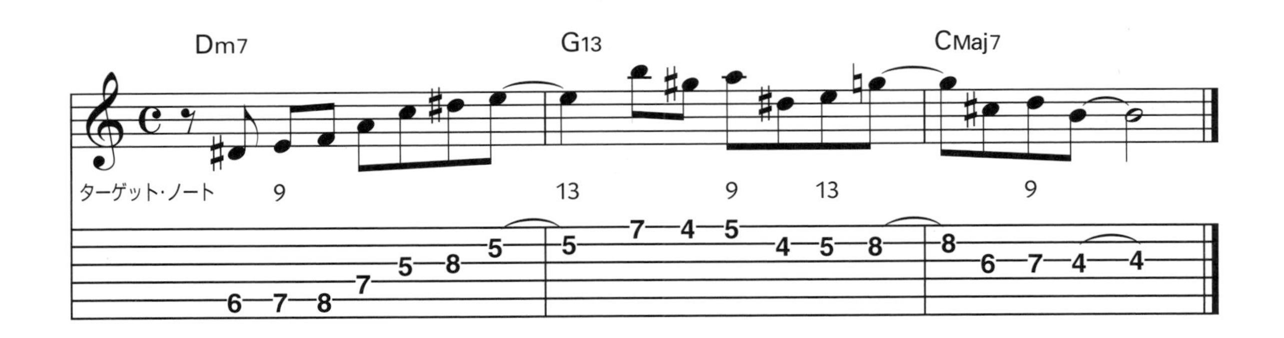

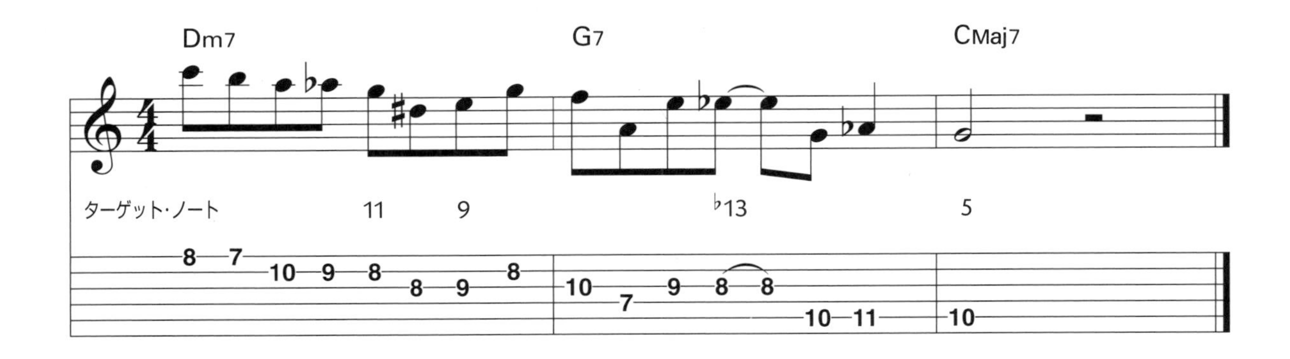

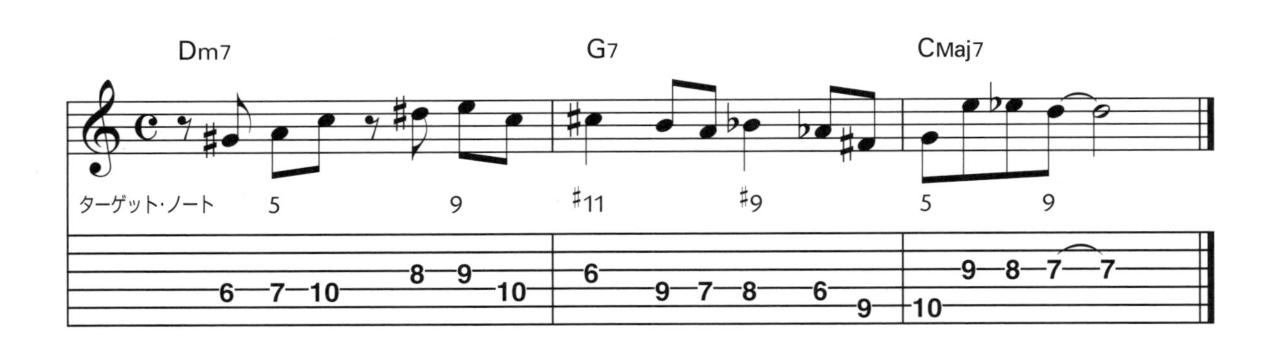

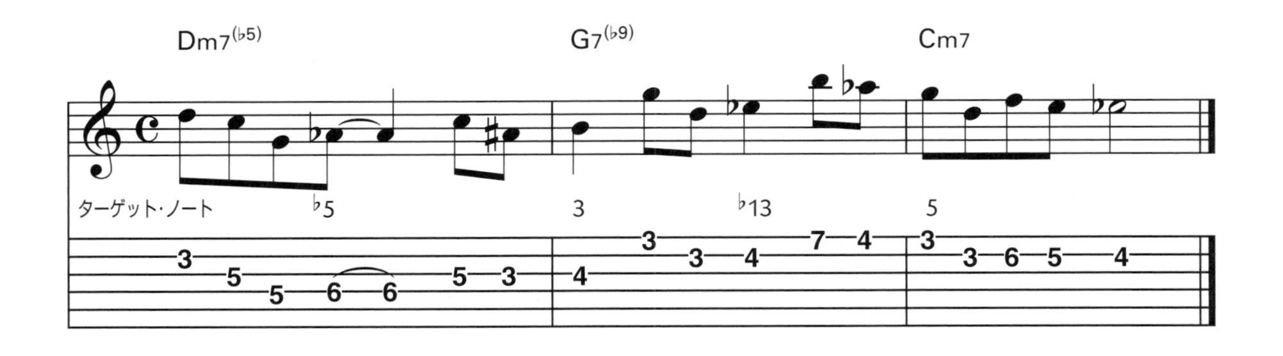

マイルス･デイヴィスの特徴

本書のマテリアルを完全に理解し、活用するためには、マイルス･デイヴィスのレコーディングをたくさん聴くことが必要です。マイルスの演奏には、楽譜に表すことが不可能な細かいニュアンスが含まれています。彼の演奏を聴くことこそが、彼独特のメロディックおよびリズミック･コンセプトを完全に理解する最善の方法です。

推奨レコーディング

1. マイルスは、*Charlie Parker* と行ったいくつかのレコーディングにおいて、すばらしいビバップ演奏を披露しています。彼はそのキャリアにおける最初期の段階で、すでにたくさんのトランッペット･プレイヤーに影響を与え、ジャズにおけるもっとも重要な存在の１人としての地位を確立しました。彼の完成されたビバップ･ラインと、*Charlie Parker* から影響を受けた演奏を聴きましょう。

2. 前期のマイルスは、50年代後期から60年代初頭の間に録音されたいくつかの有名なアルバムを残しています。これらのレコーディングにおいてマイルスは、最初期のビバップ･レコーディング以上に音数の少ない、ひかえめな演奏を聴かせています。この演奏スタイルこそ、ほとんどの人たちが考える**マイルス･サウンド**です。これらのレコーディングを聴く時、フレージングおよびフレーズと音の間のスペース（間の取り方）に注目しましょう。バラードでは、慎重に音を選択しながら、とてもソウルフルでユニークなサウンドを創りだしています。

   推奨アルバム： Working with the Miles Davis Quintet
   Relaxin' with the Miles Davis Quintet
   Cookin' with the Miles Davis Quintet
   Someday My Prince Will Come
   Stella by Starlight

3. マイルスがアレンジャー *Gil Evans* とともに行った一連のレコーディングは、ジャズ史におけるマイルストーン（指標）となるものでした。1949年から50年に録音されたBirth of the Coolから始まり、約10年弱経った1957年、彼らは再び共同でレコーディングします。それは *Gil Evans* の編曲、指揮による大編成のオーケストラの中で、マイルスをフィーチュアしたものでした。フレンチ･ホルン、チューバ、そして数々の木管楽器を加えたビッグバンドとマイルス･サウンドが見事にブレンドされた傑作です。

   レコーディング： Miles Ahead
   Sketches of Spain
   Porgy and Bess

4. マイルス･デイヴィスのKind of Blueは、時代を越えて最も売れているジャズ･レコーディングの１つです。またこのアルバムは、ジャズ史に残る名盤の１つにも数えられています。各曲のコード･ストラクチャーは、それまでのものよりも動きが少なく、マイルスのモーダル演奏の基盤となるものでした。

マイナー・コード・マテリアル

このチャプターでは、まず習得したいラインをひとつ選び、CDのtrack 2に合わせて最初に与えられたキーで練習しましょう。それから、サークル・オブ4th（４度上行／５度下行）に沿ってキーが変わっていくtrack 3を使い、そのラインを12のキーで演奏できるようにしましょう。マイナー・コードのラインとドミナント7thコードのマテリアルを組み合わせることにより、ii-V-Iプログレッションの上で使うことができる膨大な数のフレーズを創ることができます。ii-V-I（メジャー、マイナーともに）はジャズにおいてもっとも一般的なコード・プログレッションなので、12のキーすべてのii-V-Iプログレッションの上で流れるようにフレーズを演奏できることは、あなたのジャズ・インプロヴィゼイションに欠かすことはできません。

すべての譜例は一般的な4/4拍子で記譜されています。

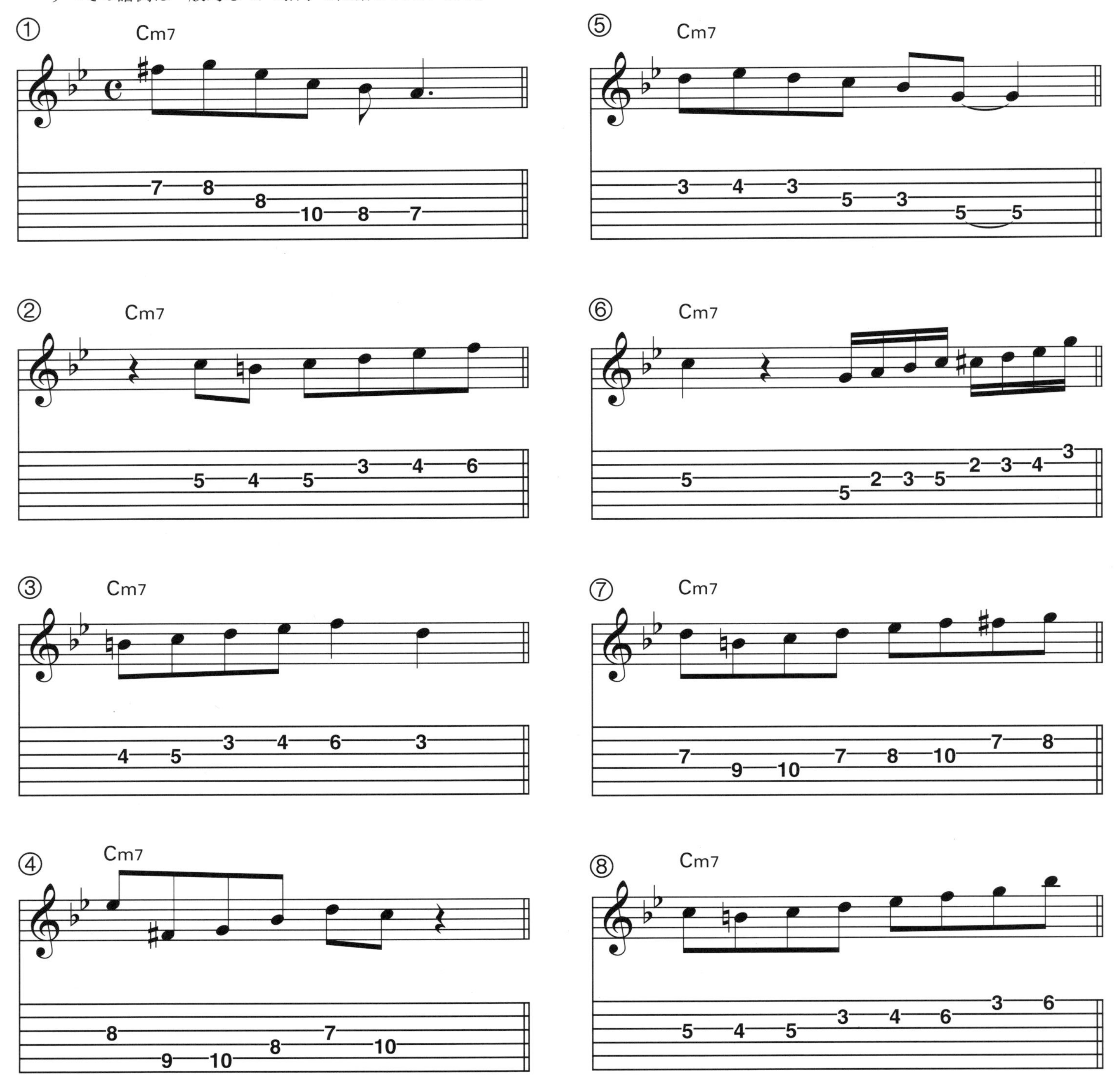

本書のタブ譜は、ひとつの例です。各フレーズには、いくつかのフィンガリングが考えられます。あなた自身で考えたフィンガリングを試しましょう。

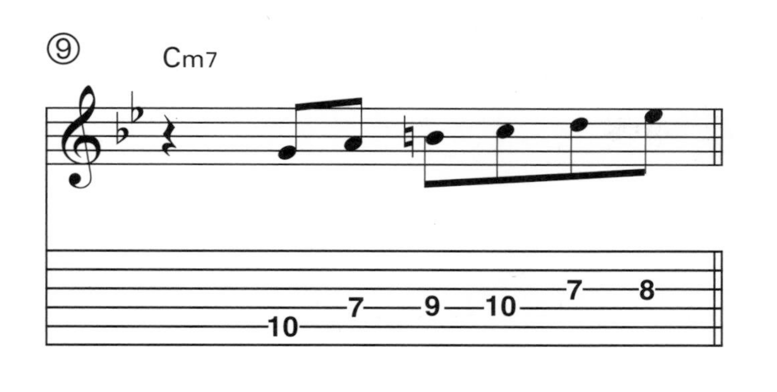
⑨
Cm7

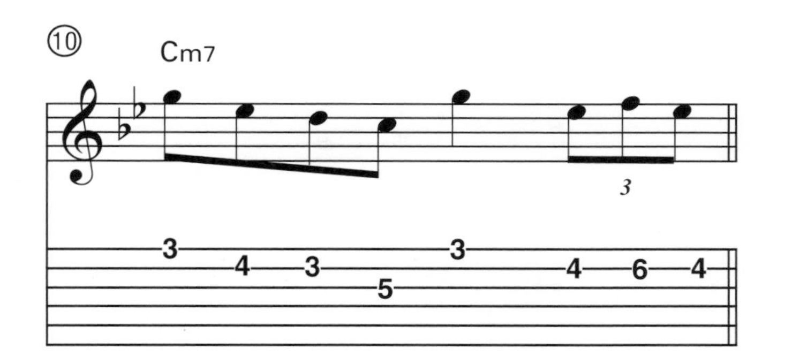
⑩
Cm7

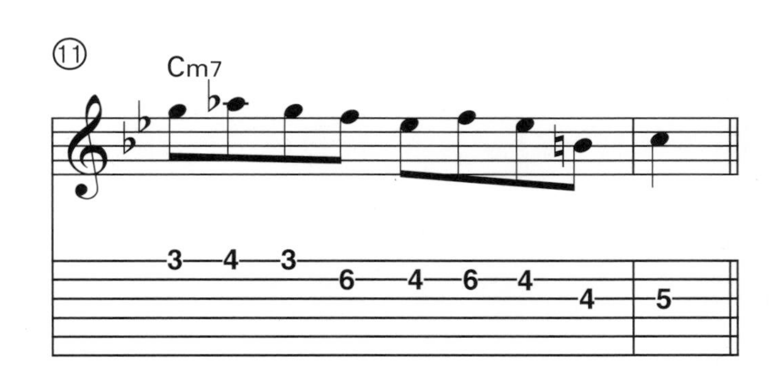
⑪
Cm7

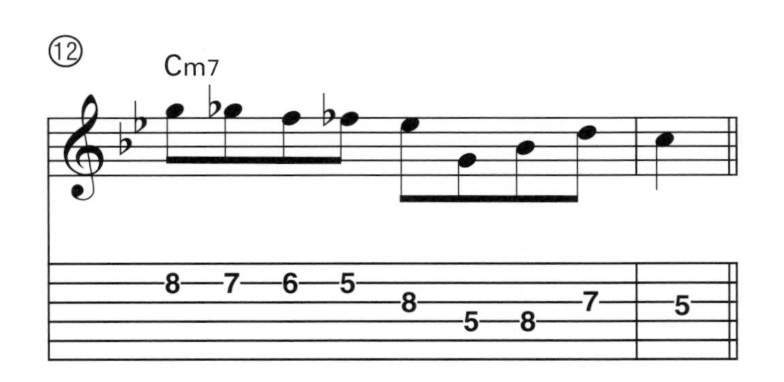
⑫
Cm7

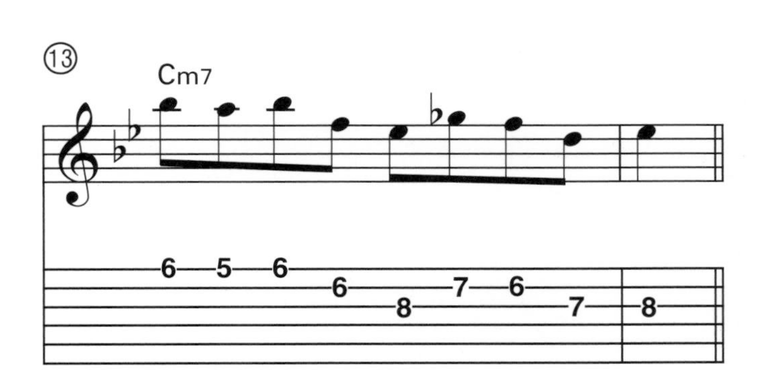
⑬
Cm7

⑭
Cm7

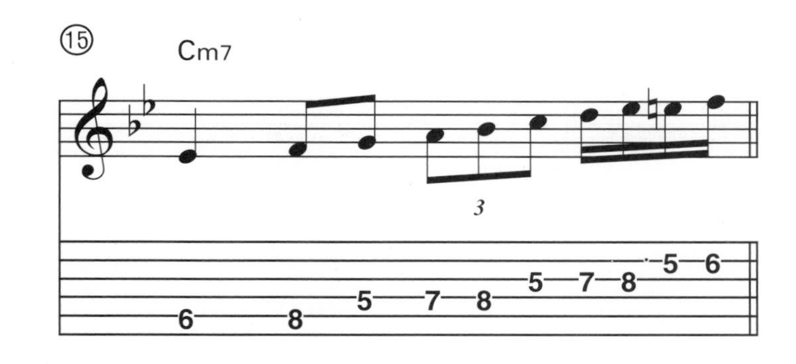
⑮
Cm7

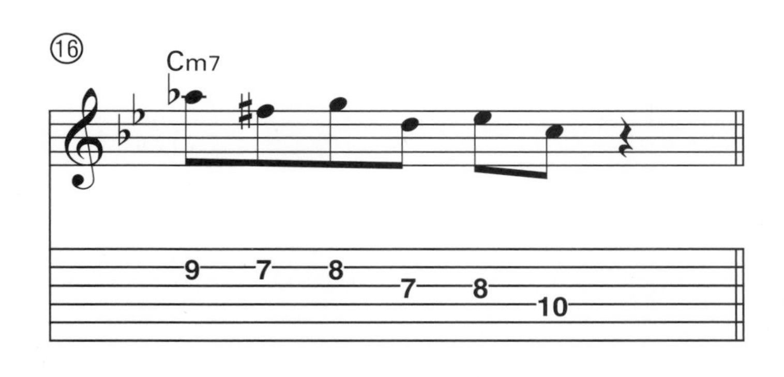
⑯
Cm7

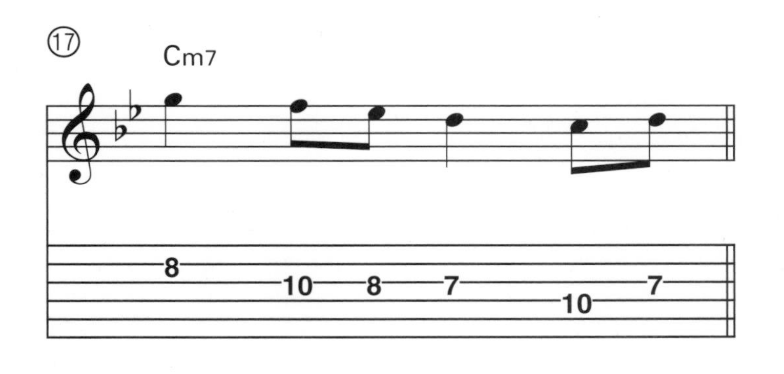
⑰
Cm7

⑱
Cm7

⑲
Cm7

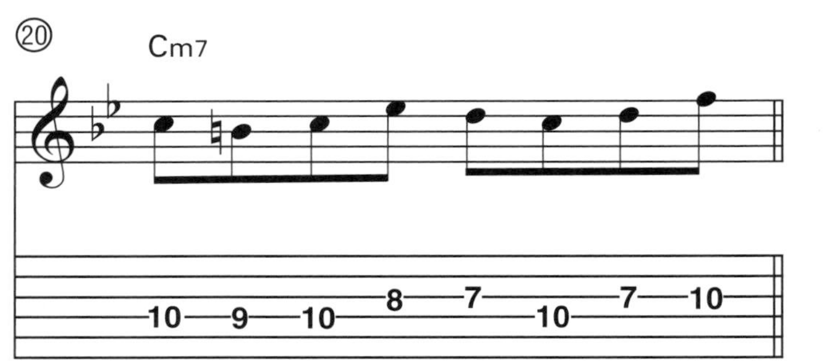
⑳
Cm7

㉑
Cm7

㉒
Cm7

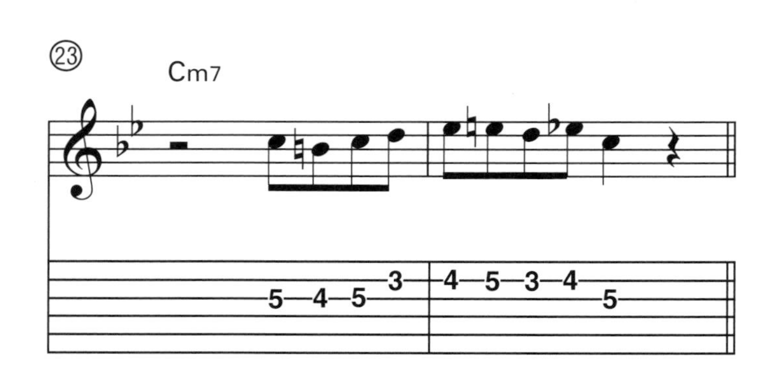
㉓
Cm7

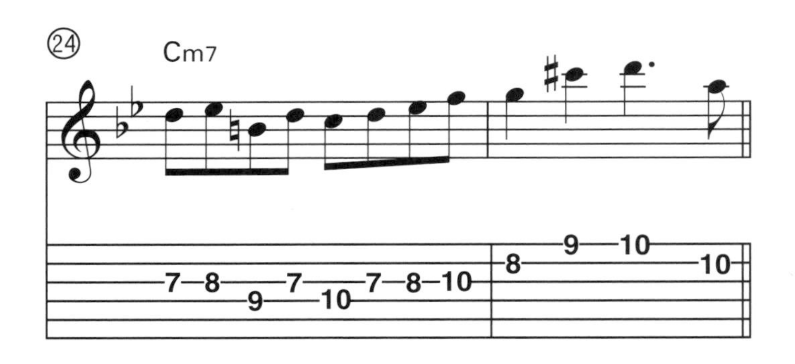
㉔
Cm7

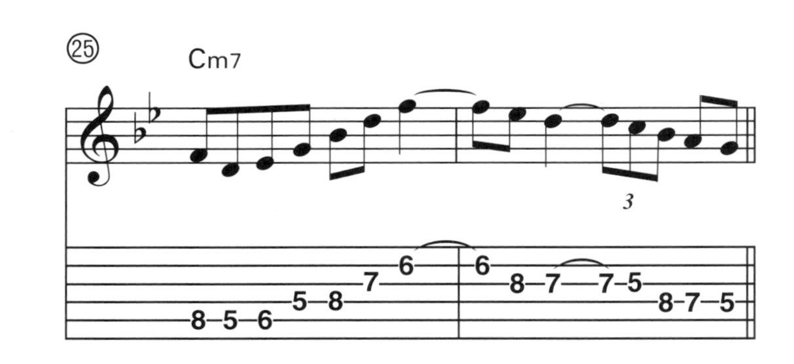
㉕
Cm7

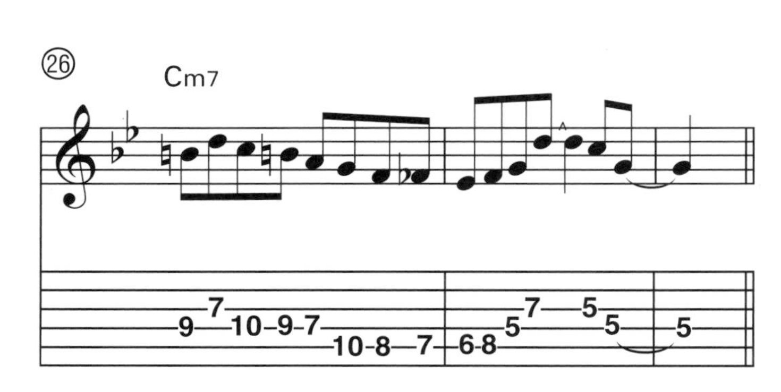
㉖
Cm7

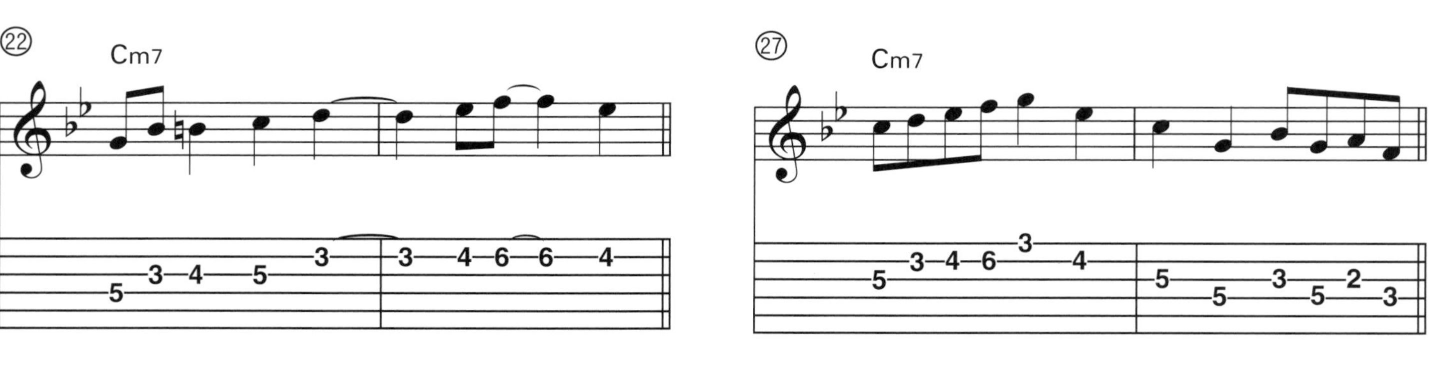
㉗
Cm7

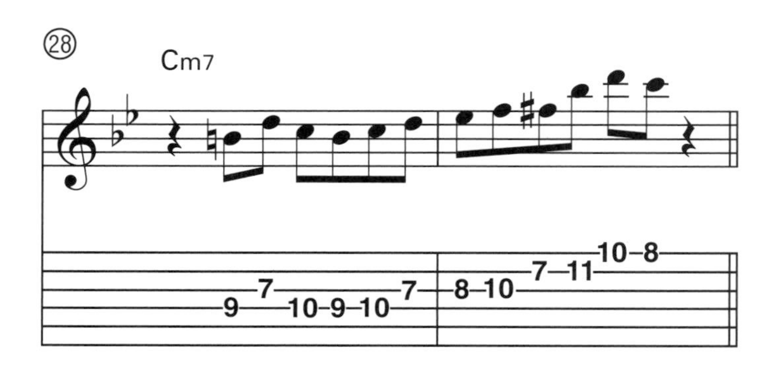
㉘
Cm7

次のハーモニック・ヴァンプを使って、これまでに学習したマイナー7thコードのラインをプレイ・アロングCDに合わせて練習しましょう。

マイナー・コード・ヴァンプ

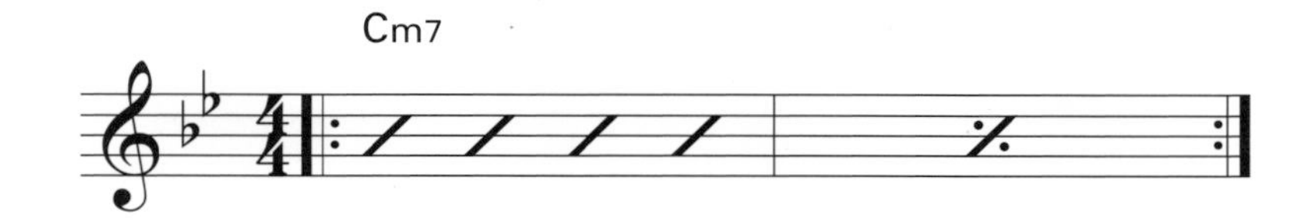

Track 3のリズム・トラックを使って、サークル・オブ4thに沿って移調する練習をしましょう。この練習は、ラインを12のキーすべてで確実に習得できます。

3
CD track

4度で移動するマイナー・コードのラインの練習

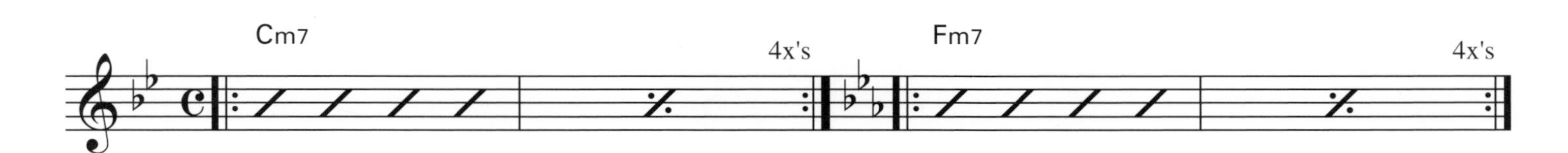

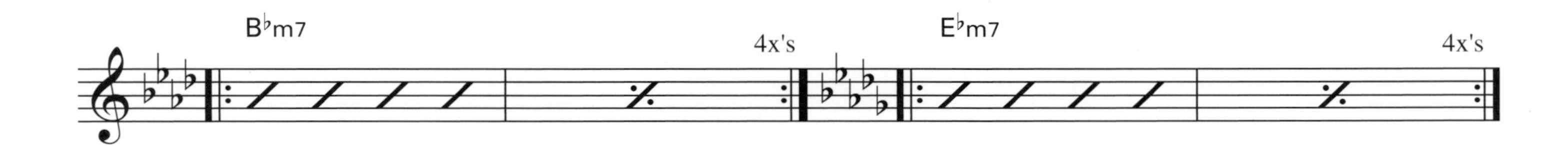

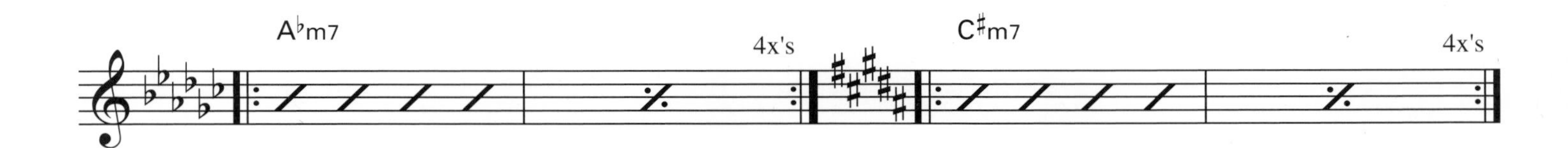

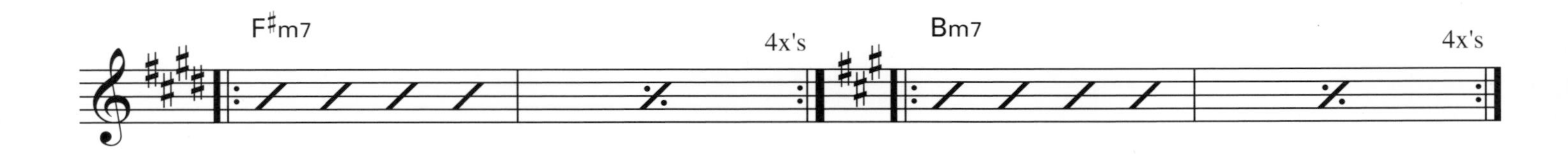

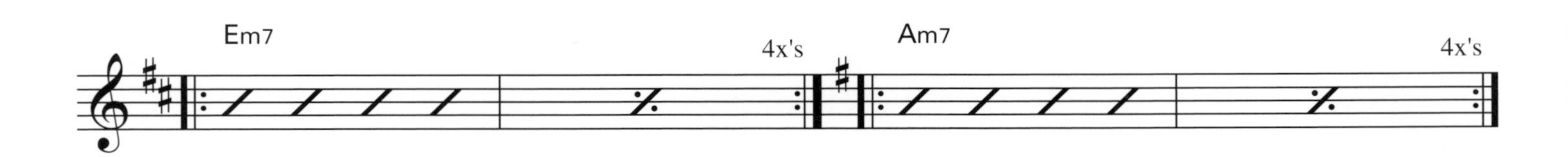

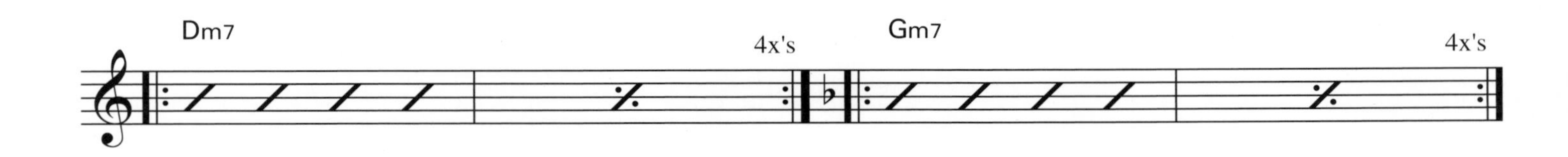

ドミナント7thコード(V)マテリアル

すべての譜例は一般的な4/4拍子で記譜されています。

①

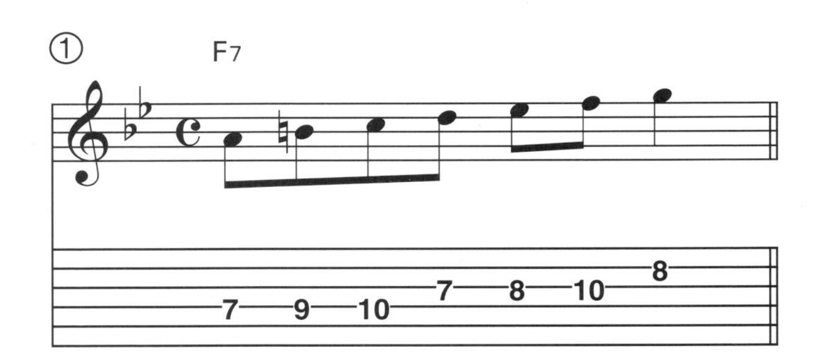

②

③

④

⑤

⑥

⑦

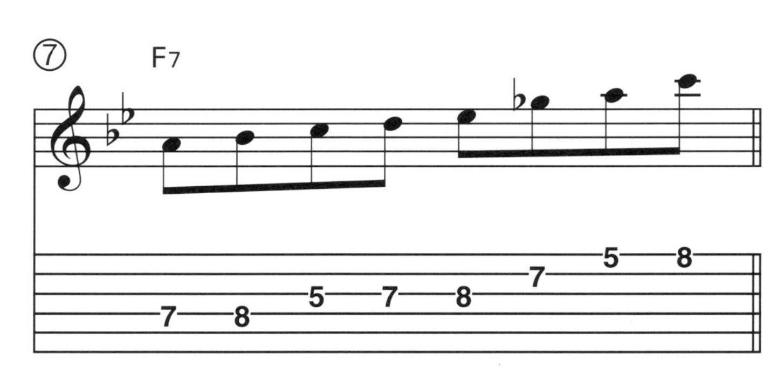

⑧

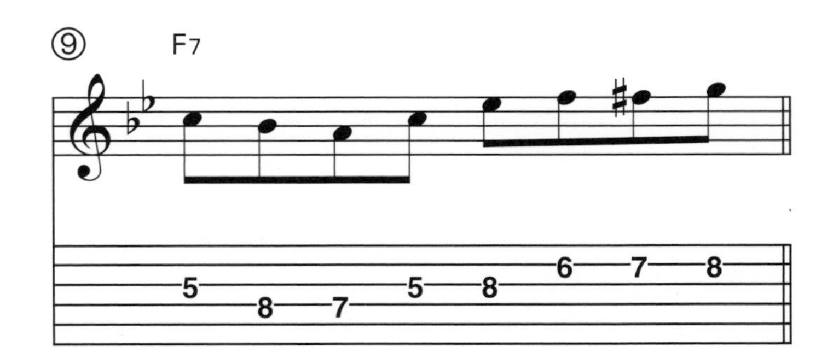
⑨
F7

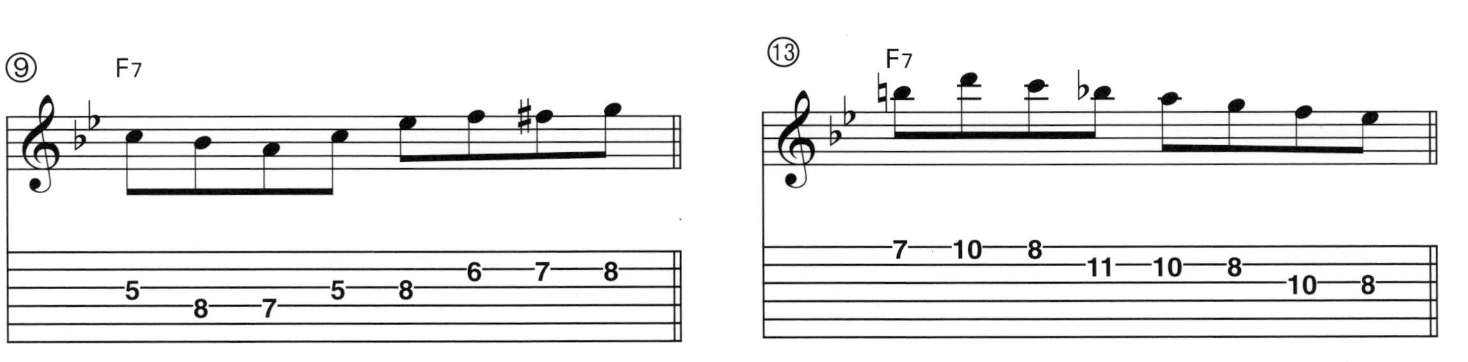
⑬
F7

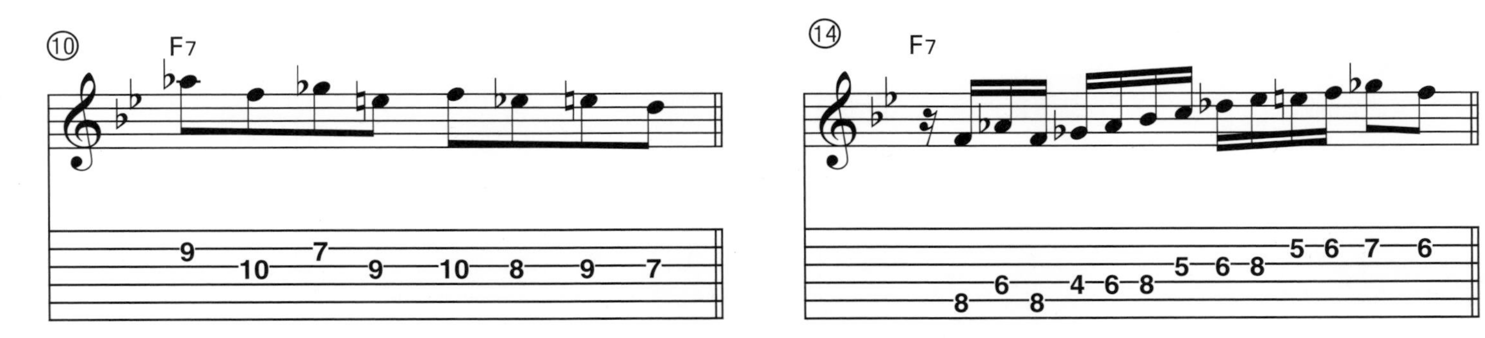
⑩
F7

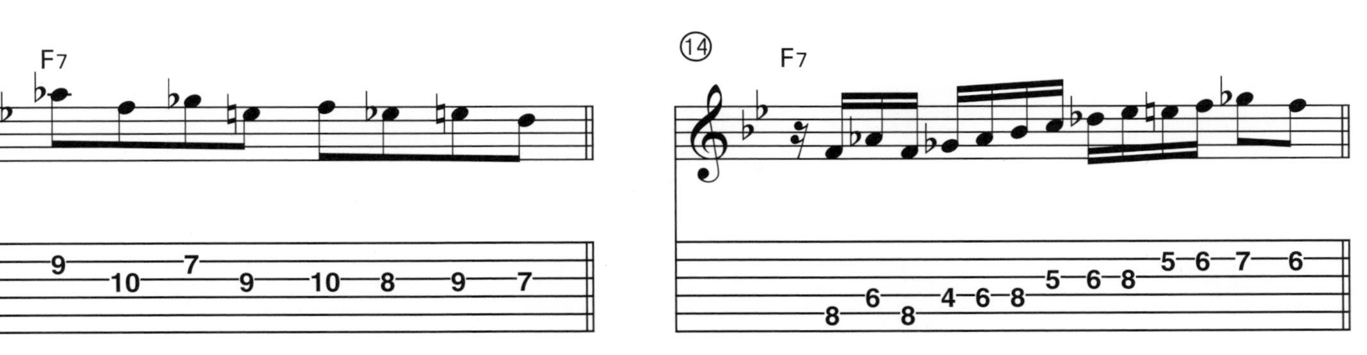
⑭
F7

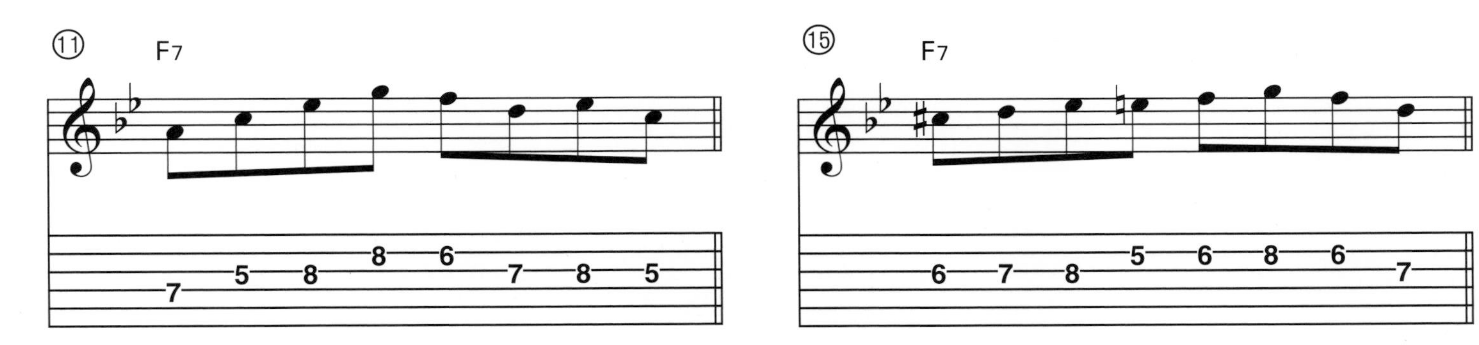
⑪
F7

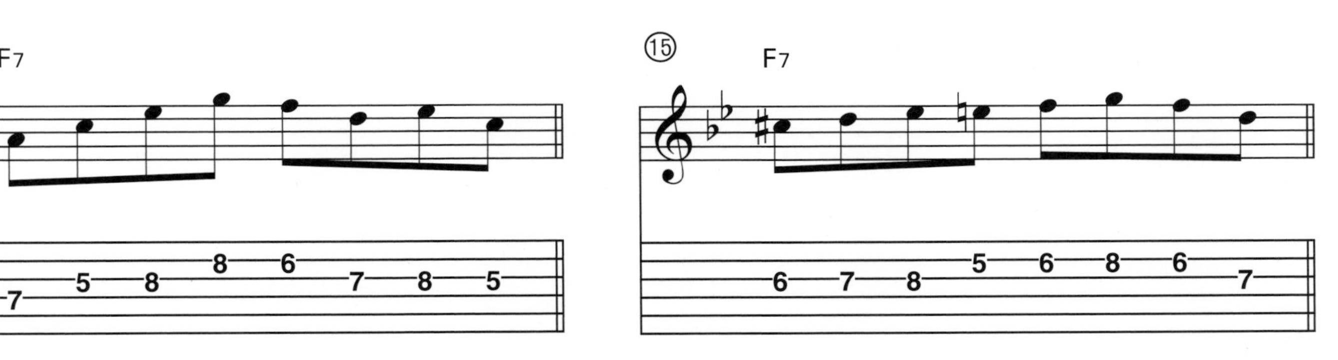
⑮
F7

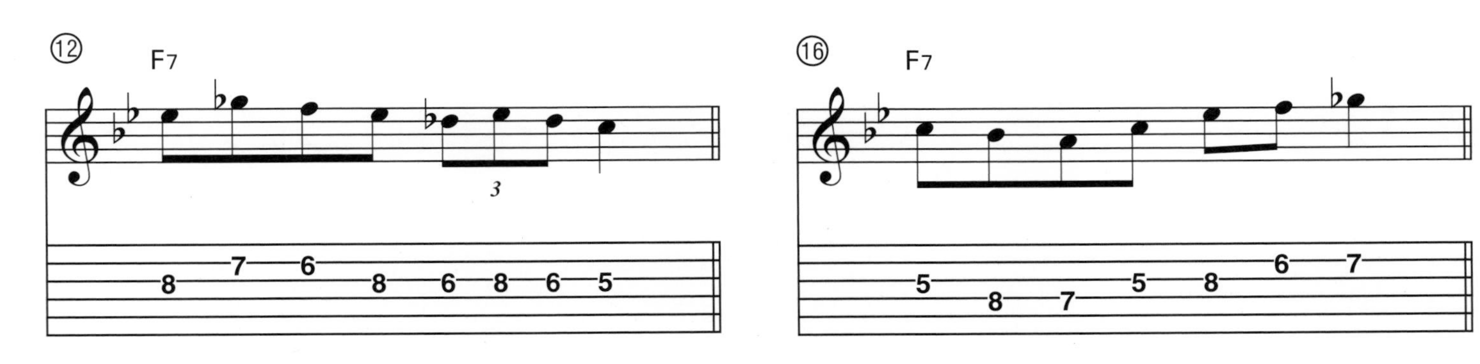
⑫
F7
3

⑯
F7

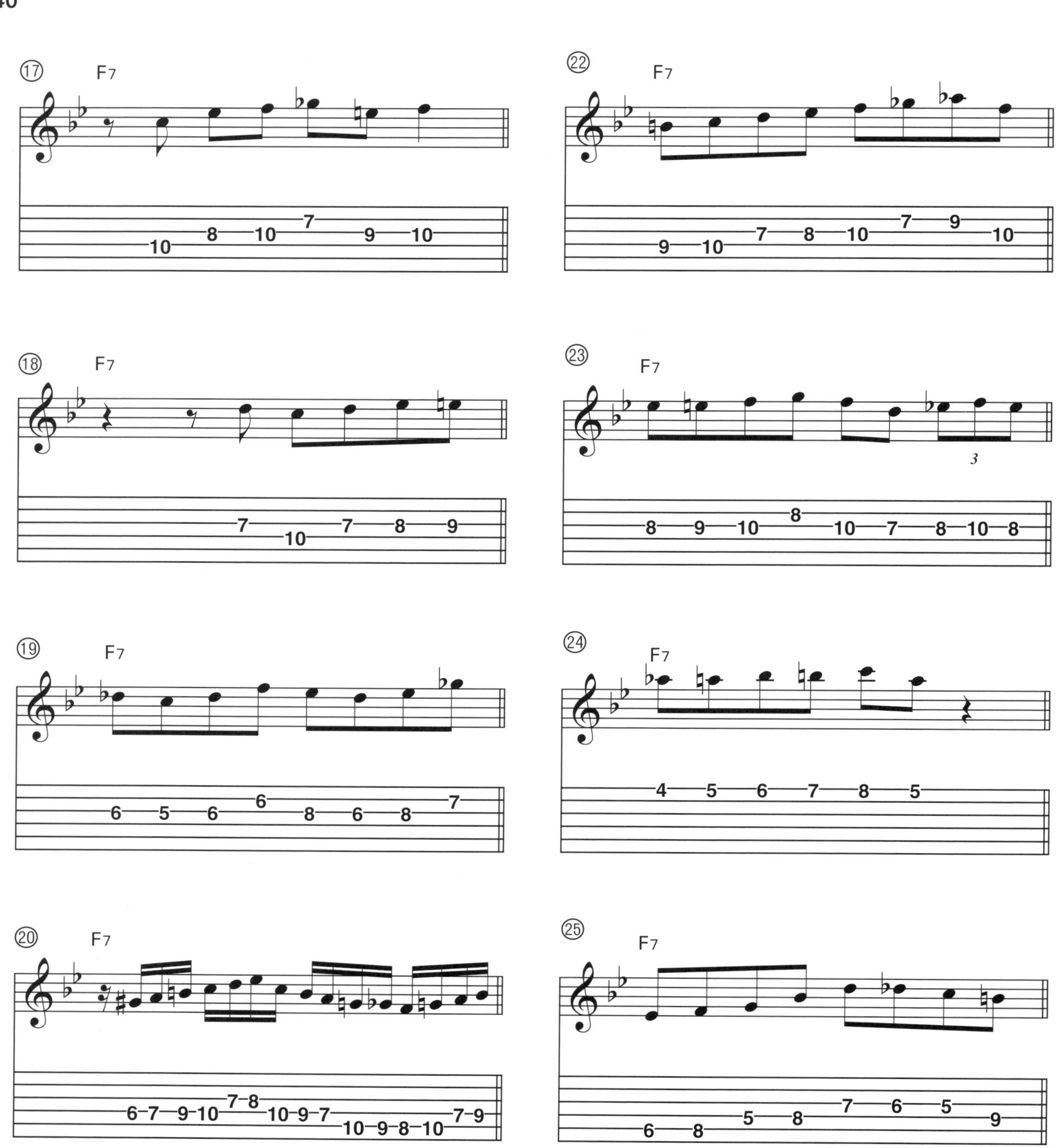
⑰ F7
⑱ F7
⑲ F7
⑳ F7
㉒ F7
㉓ F7
3
㉔ F7
㉕ F7

㉑ F7

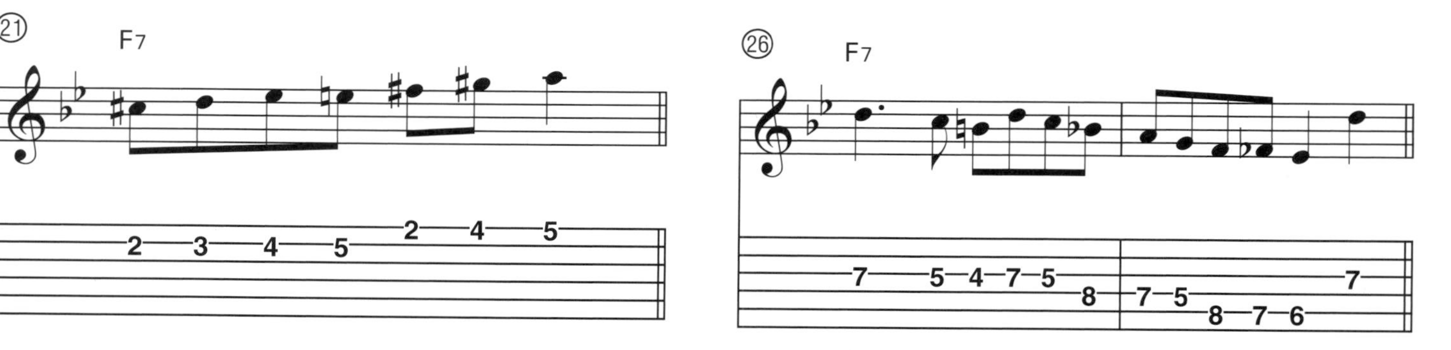
㉖ F7

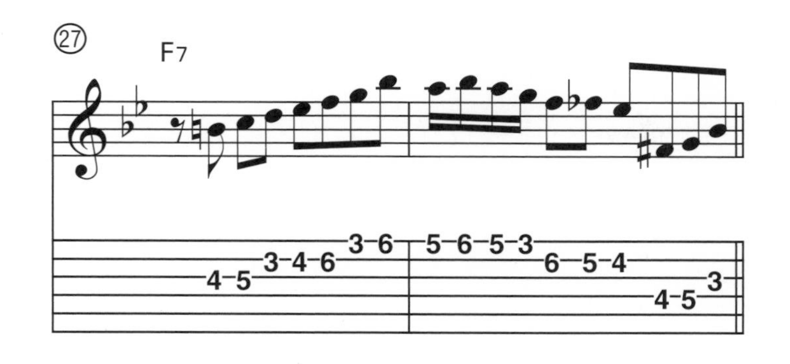
㉗
F7

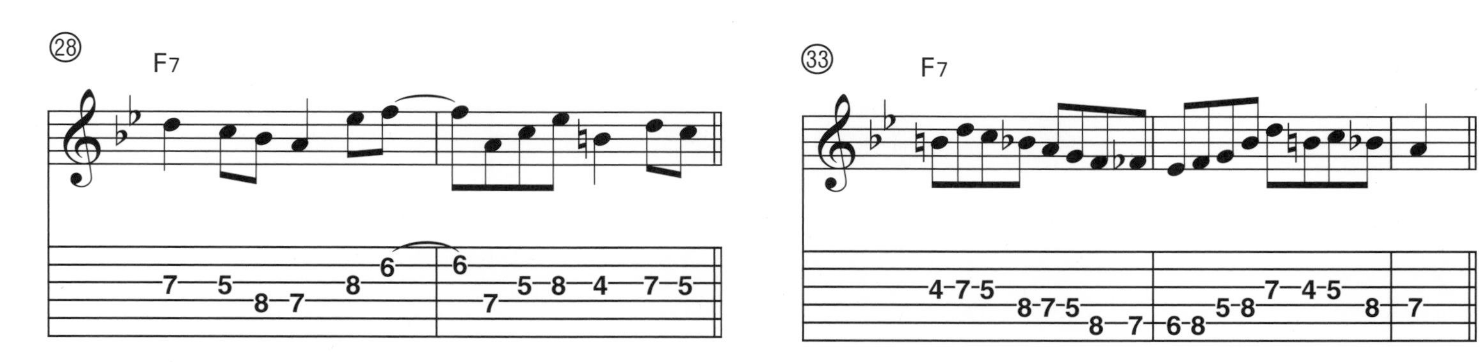
㉘
F7

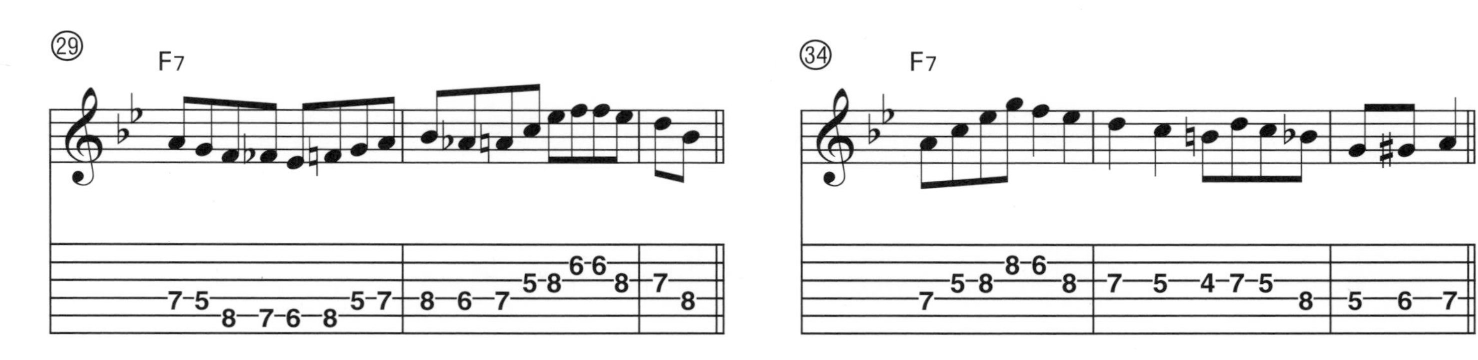
㉙
F7

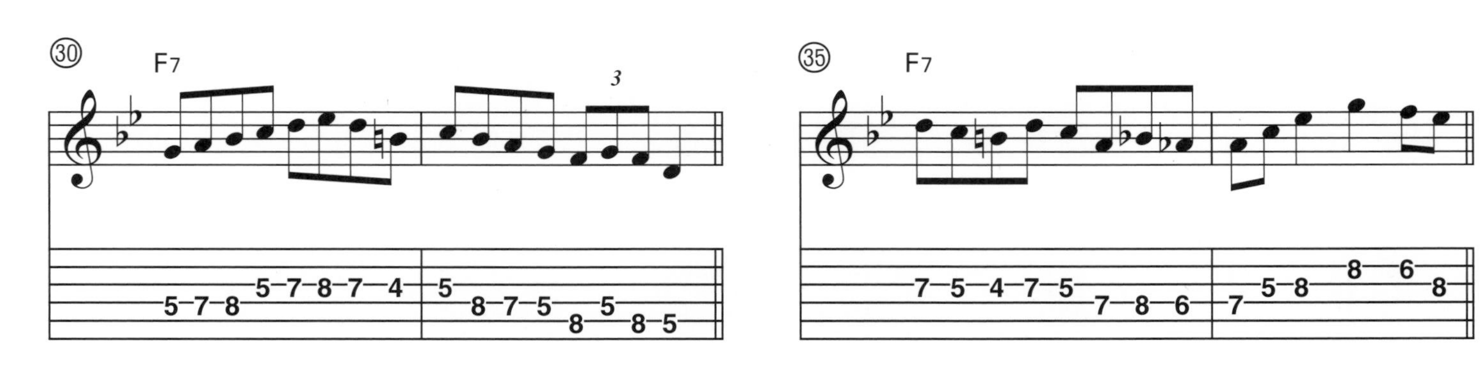
㉚
F7

㉛
F7

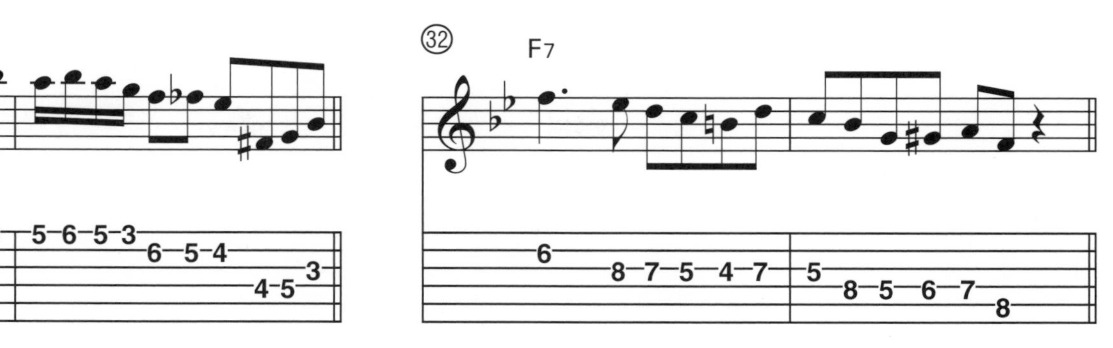
㉜
F7

㉝
F7

㉞
F7

㉟
F7

次のハーモニック･ヴァンプを使って、これまでに学習したドミナント7th コードのラインをプレイ･アロングCD に合わせて練習しましょう。

CD track

ドミナント7th ヴァンプ

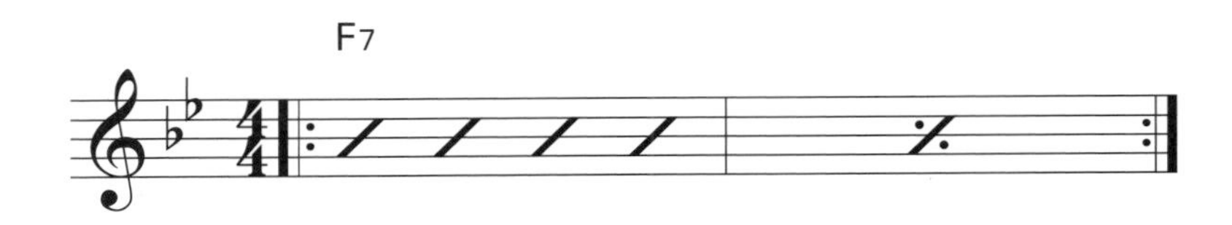

Track 5 のリズム･トラックを使って、サークル･オブ4th に沿って移調する練習をしましょう。この練習は、ラインを12 のキーすべてで確実に習得できます。

5
CD track

4度で移動するドミナント7th コードのラインの練習

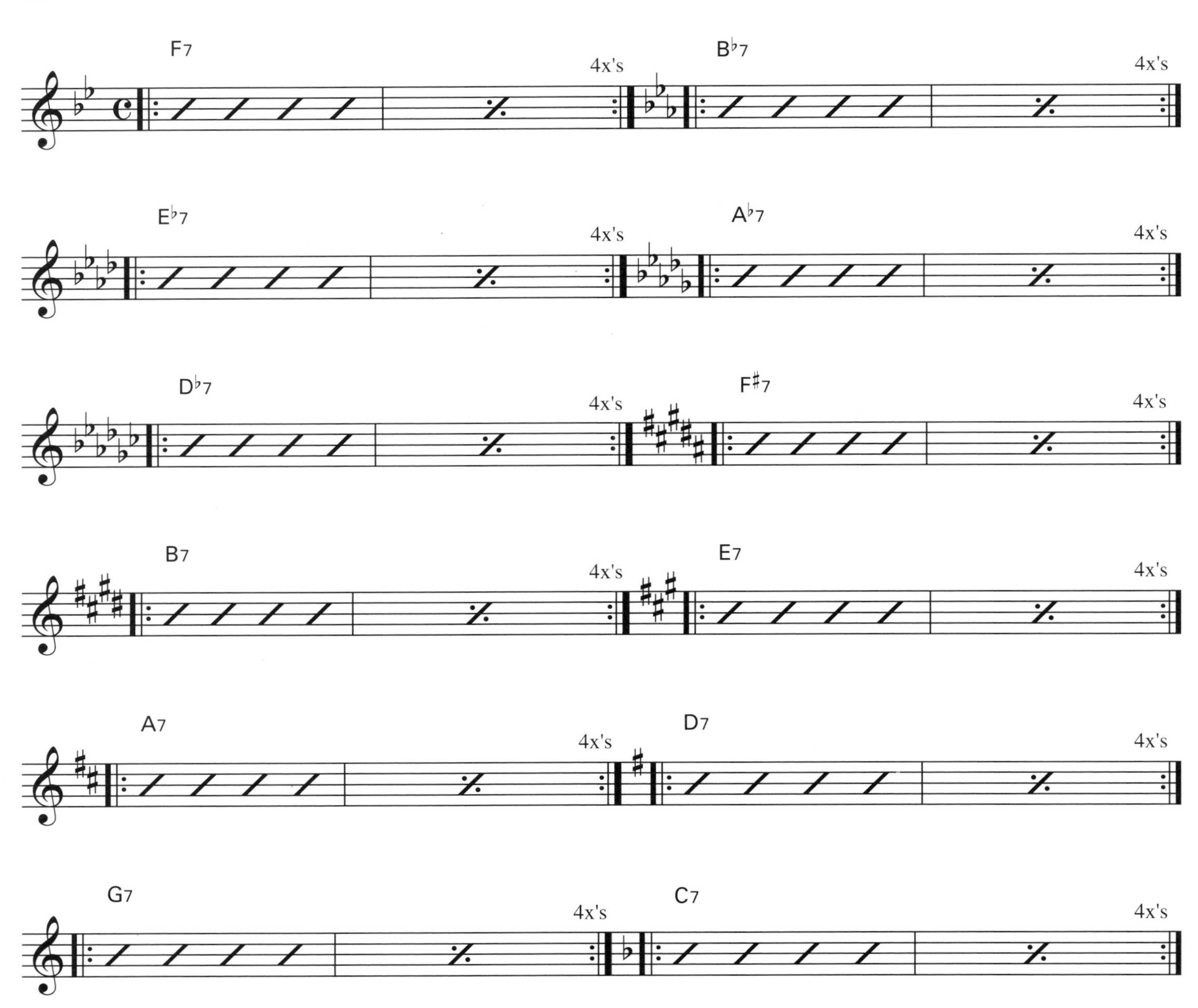

1小節のii-V(ショートii-V)マテリアル

すべての譜例は一般的な4/4拍子で記譜されています。

①

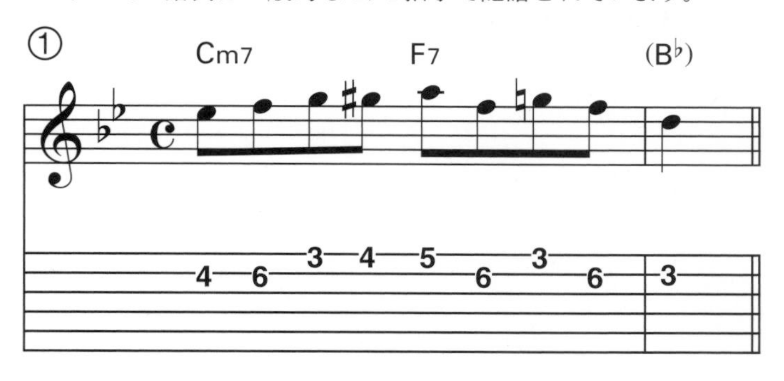

②

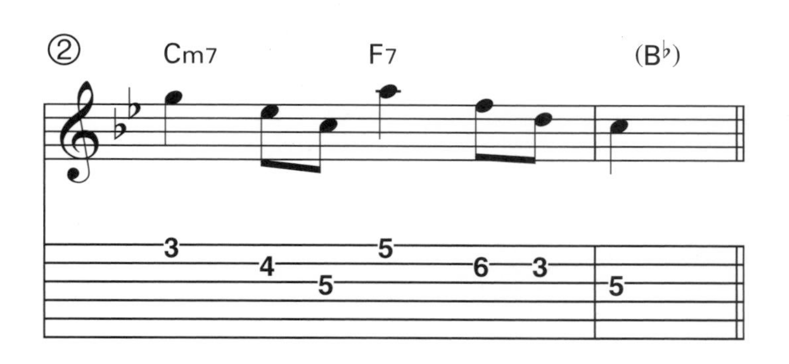

③

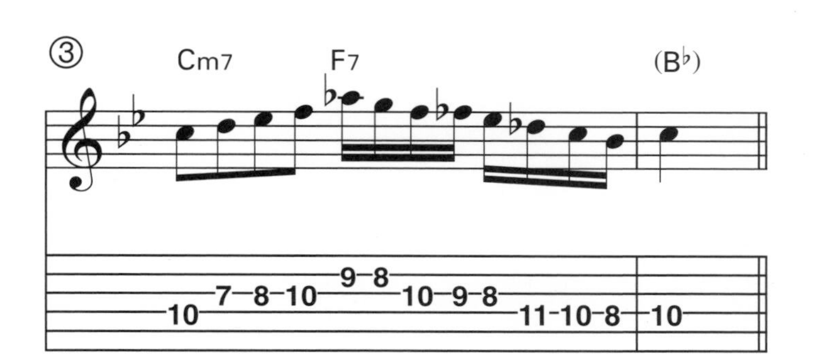

④

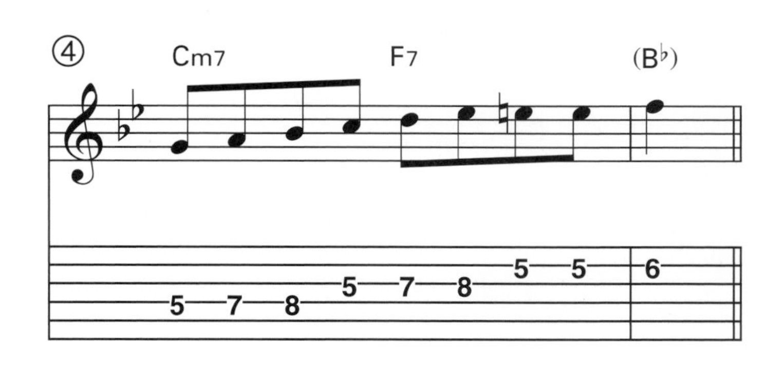

⑤

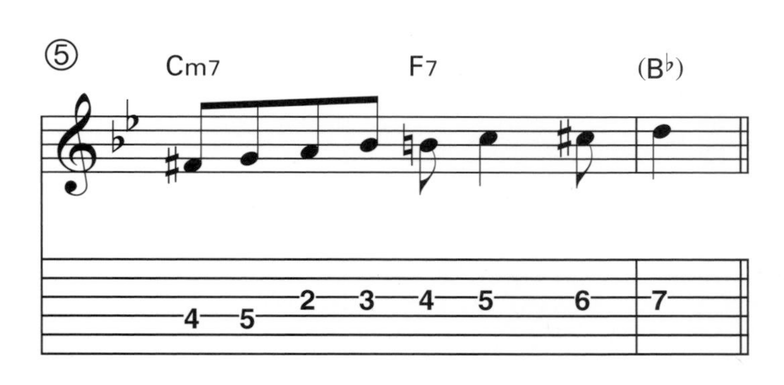

⑥

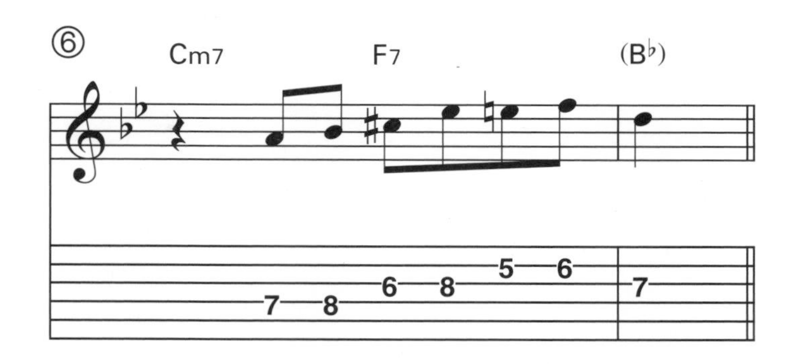

⑦

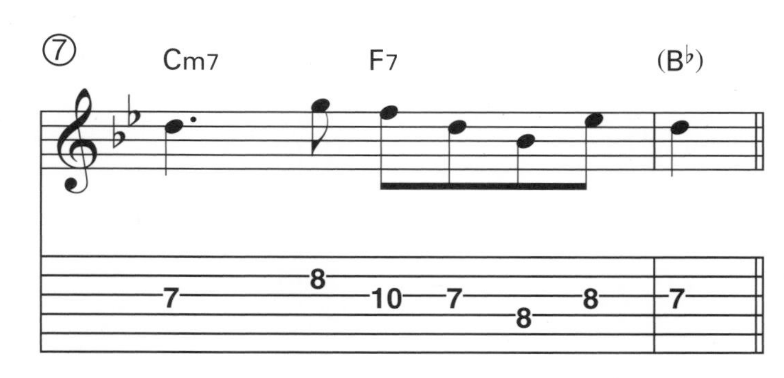

⑧

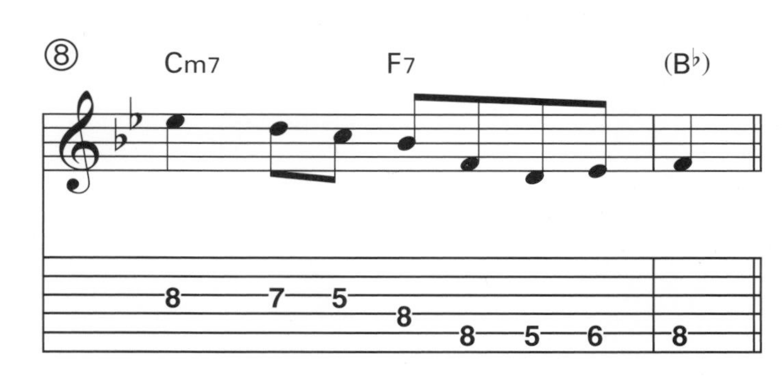

⑨

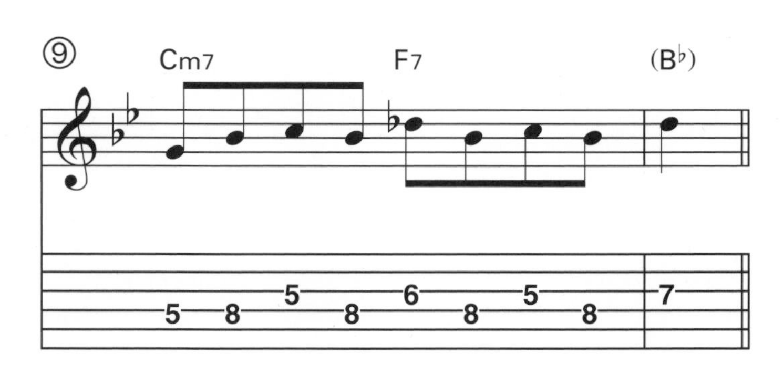

⑩

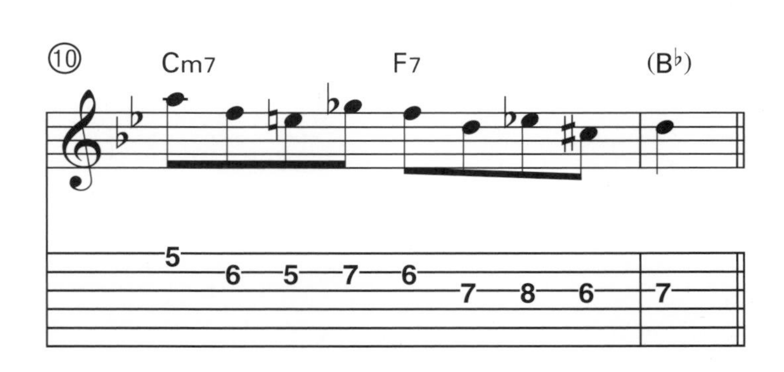

⑪ Cm7 F7
⑫ Cm7 F7 (B♭)
⑬ Cm7 F7 (B♭)
⑭ Cm7 F7 (B♭)
⑮ Cm7 F7 (B♭)
⑯ Cm7 F7 (B♭)
⑰ Cm7 F7 (B♭)
⑱ Cm7 F7 (B♭)
⑲ Cm7 F7 (B♭)
⑳ Cm7 F7

㉑

Cm7
F7

㉒

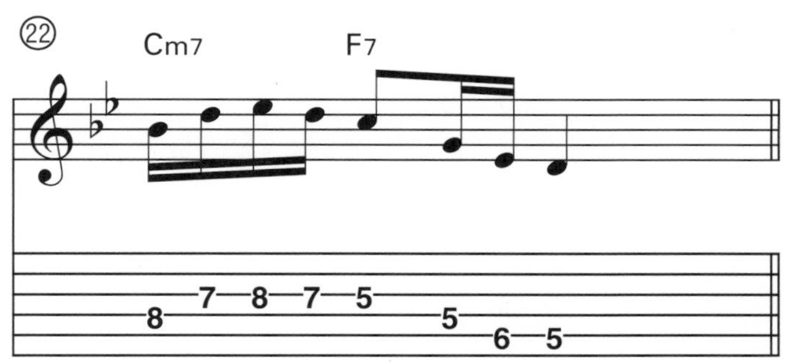
Cm7
F7

㉓

Cm7
F7
(B♭)

㉔

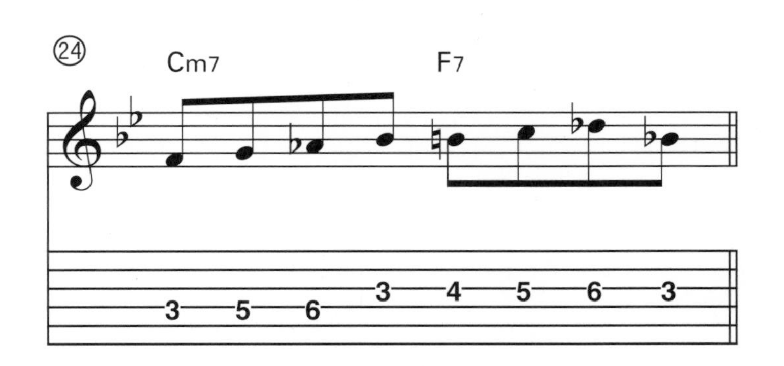
Cm7
F7

㉕

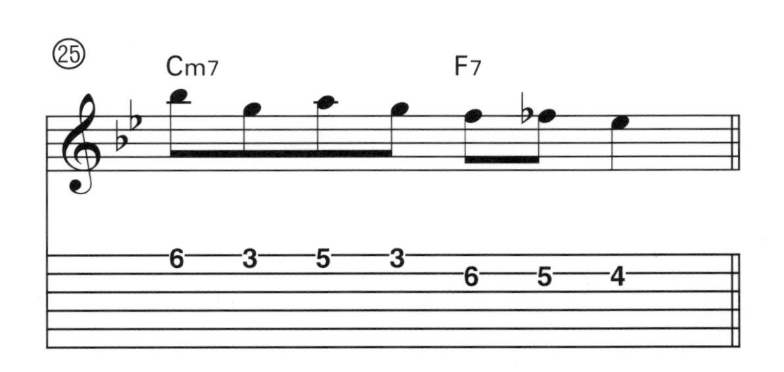
Cm7
F7

㉖

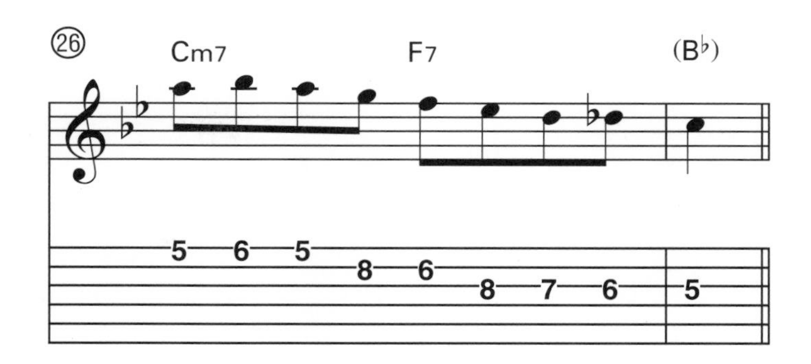
Cm7
F7
(B♭)

㉗

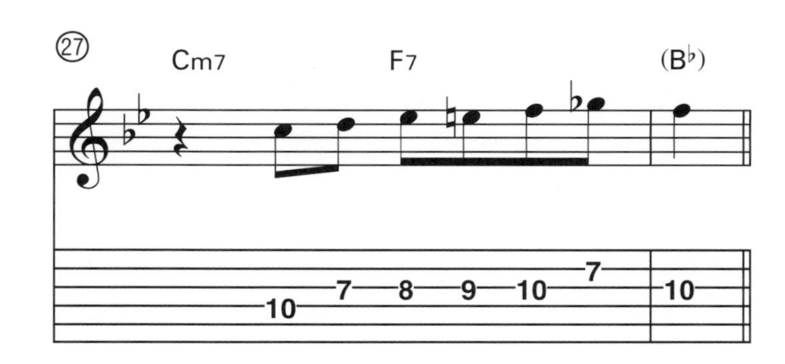
Cm7
F7
(B♭)

㉘

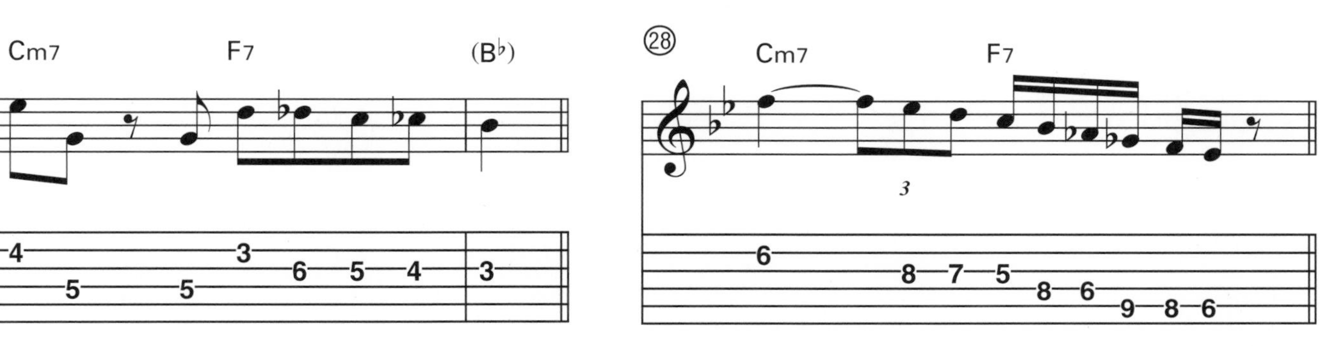
Cm7
F7

㉙

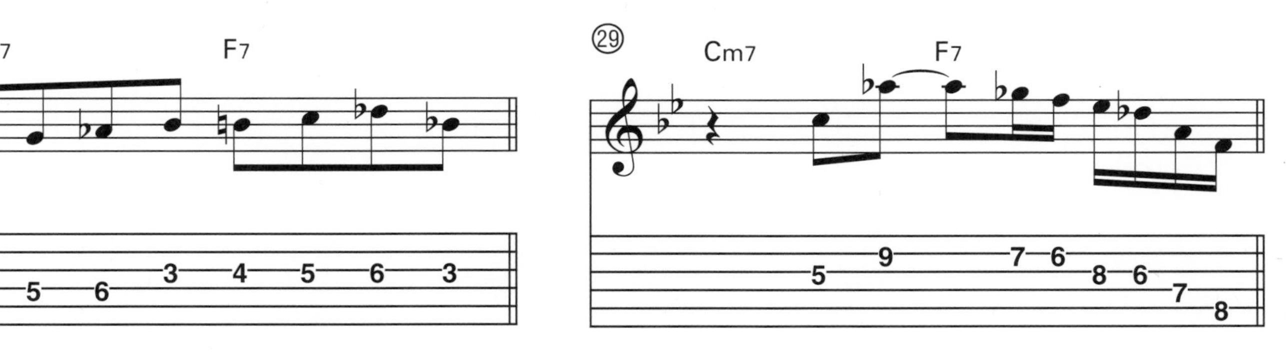
Cm7
F7

㉚

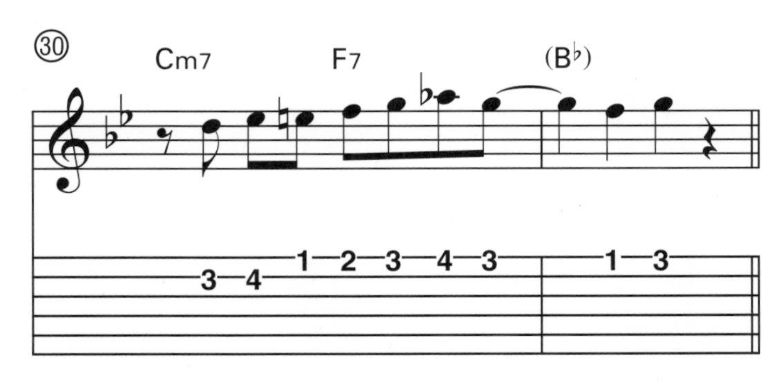
Cm7
F7
(B♭)

次のハーモニック・ヴァンプを使って、これまでに学習した1小節のii-V（ショートii-V）のラインをプレイ・アロングCDに合わせて練習しましょう。

ショートii-Vヴァンプ

6 CD track

Track 7のリズム・トラックを使って、サークル・オブ4thに沿って移調する練習をしましょう。この練習は、ラインを12のキーすべてで確実に習得できます。

4度で移動するショートii-Vのラインの練習

7 CD track

2小節のii-V（ロングii-V）マテリアル

すべての譜例は一般的な4/4拍子で記譜されています。

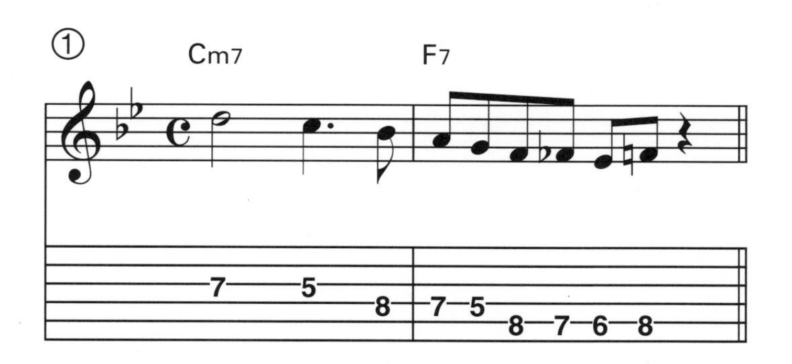

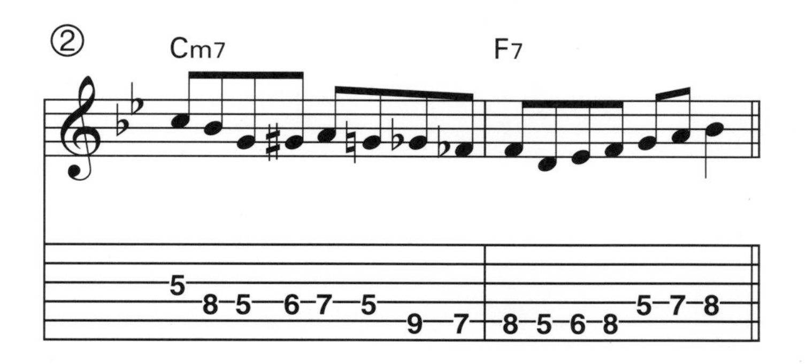

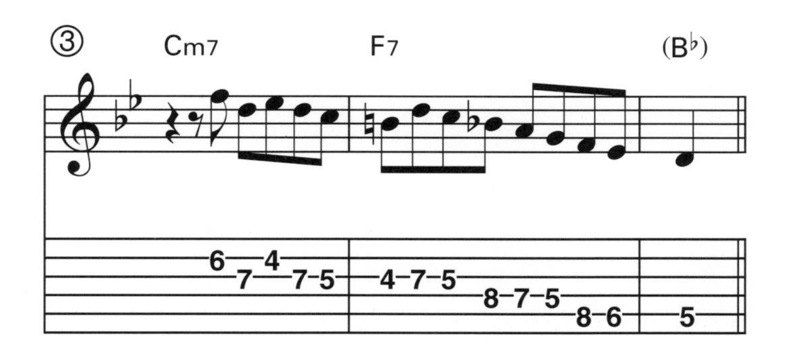

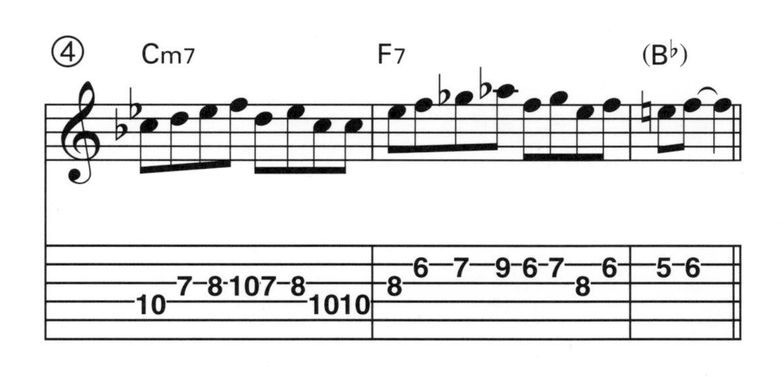

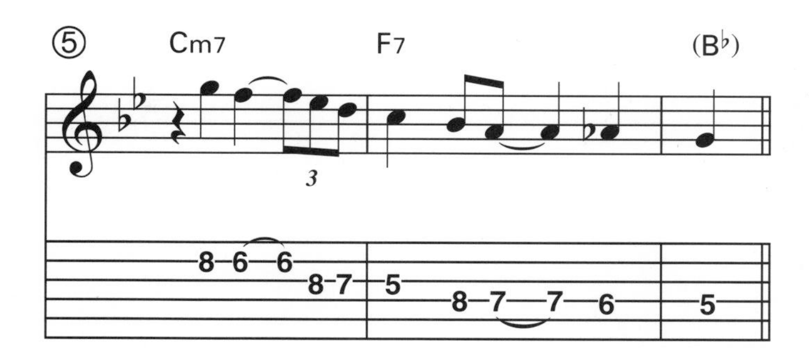

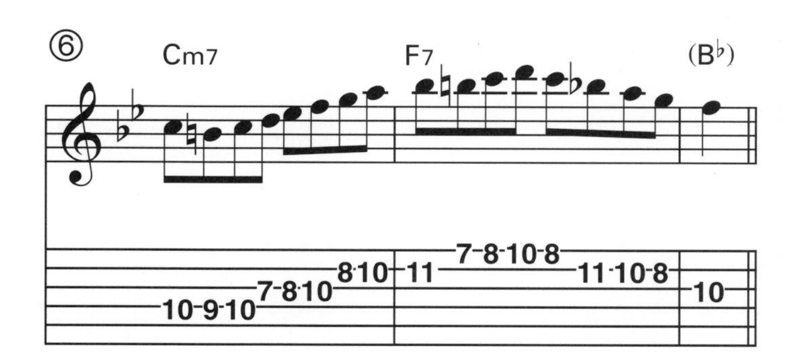

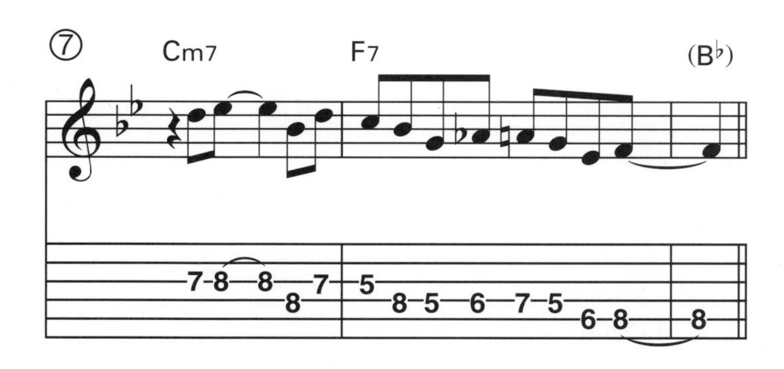

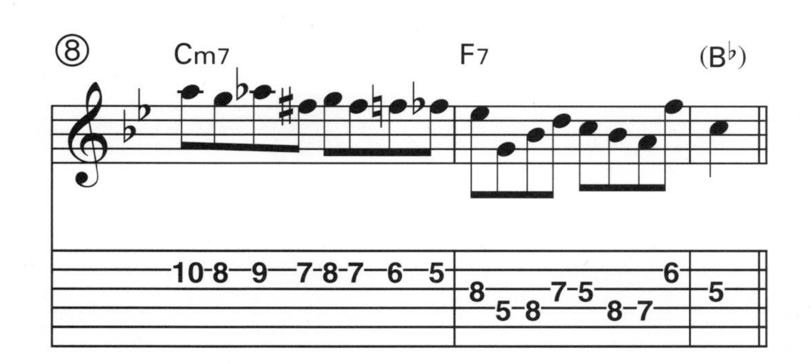

⑨
Cm7
F7
⑩
Cm7
F7
(B♭)
⑭
Cm7
F7
⑮
Cm7
F7

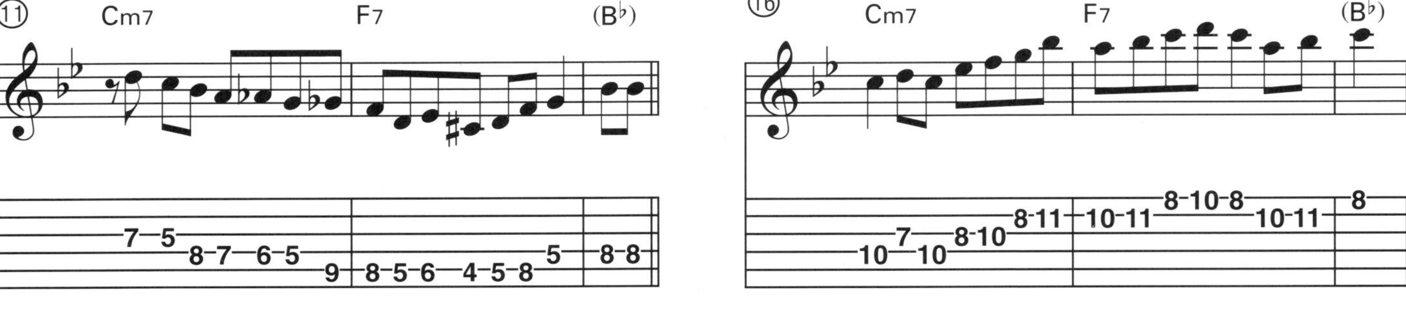
⑪
Cm7
F7
(B♭)
⑯
Cm7
F7
(B♭)

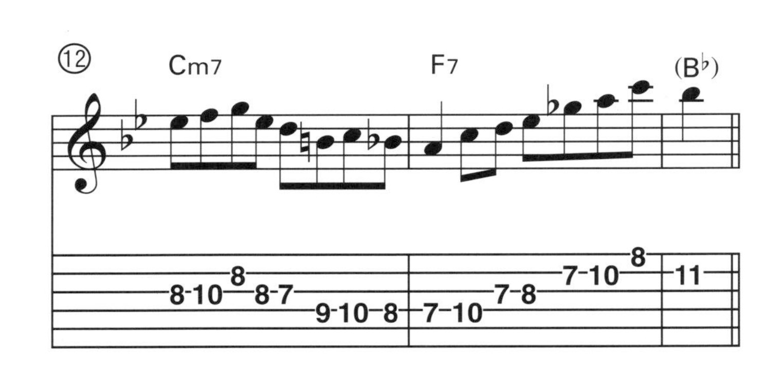
⑫
Cm7
F7
(B♭)

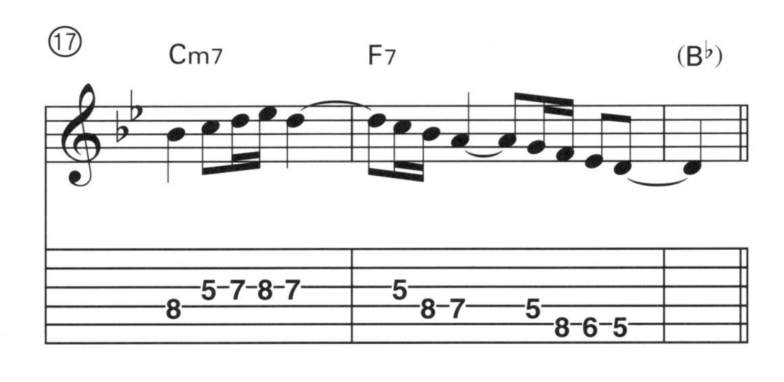
⑰
Cm7
F7
(B♭)

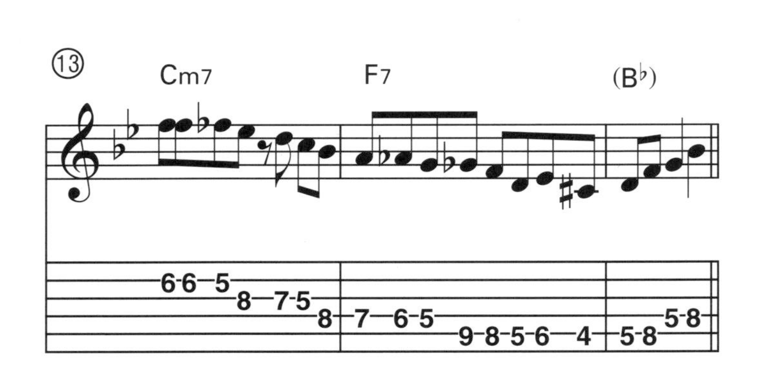
⑬
Cm7
F7
(B♭)

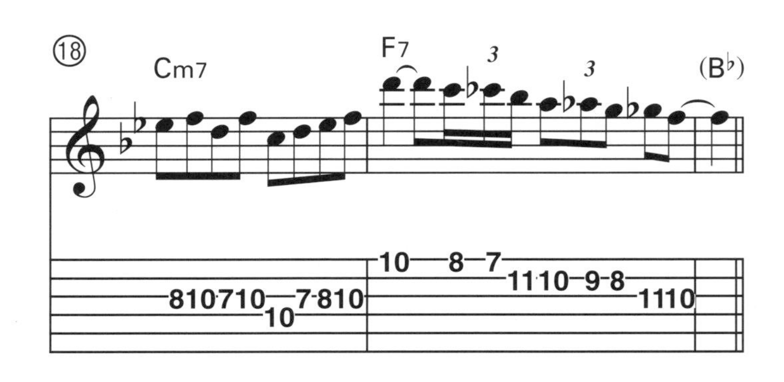
⑱
Cm7
F7
(B♭)

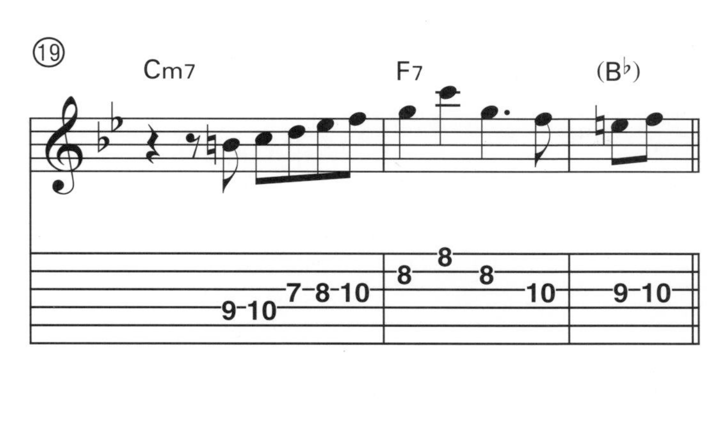
⑲
Cm7
F7
(B♭)

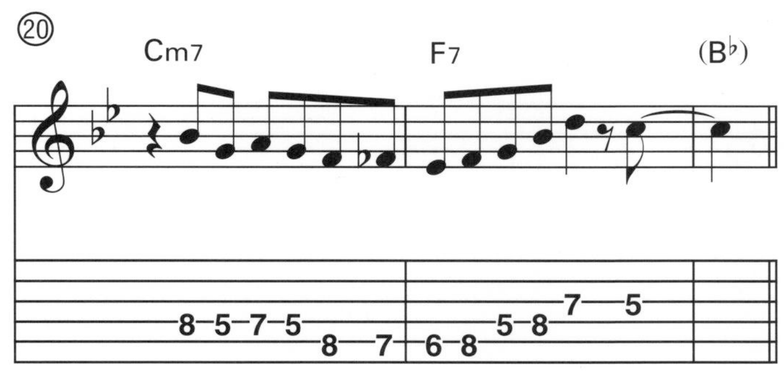
⑳
Cm7
F7
(B♭)

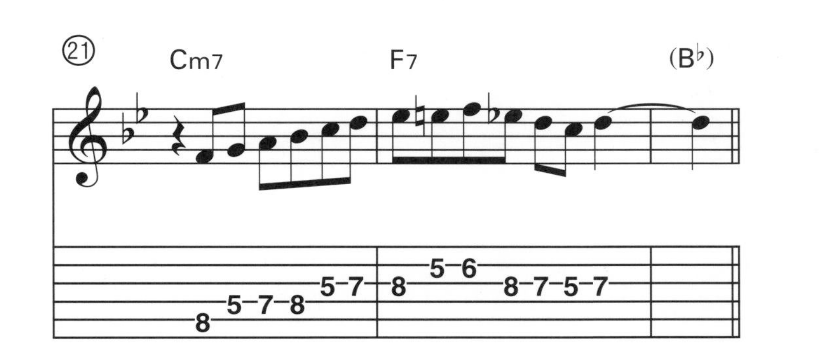
㉑
Cm7
F7
(B♭)

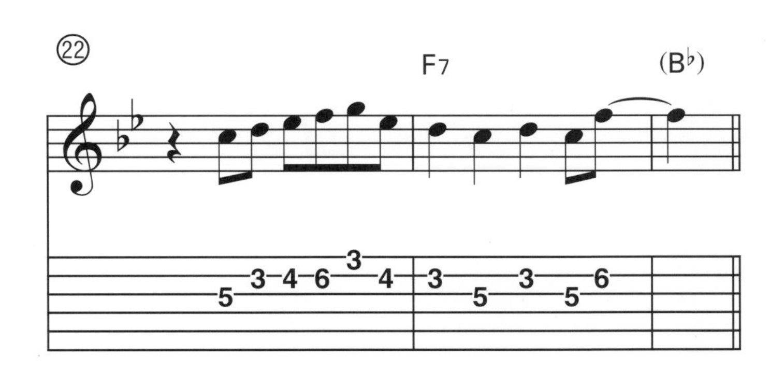
㉒
F7
(B♭)

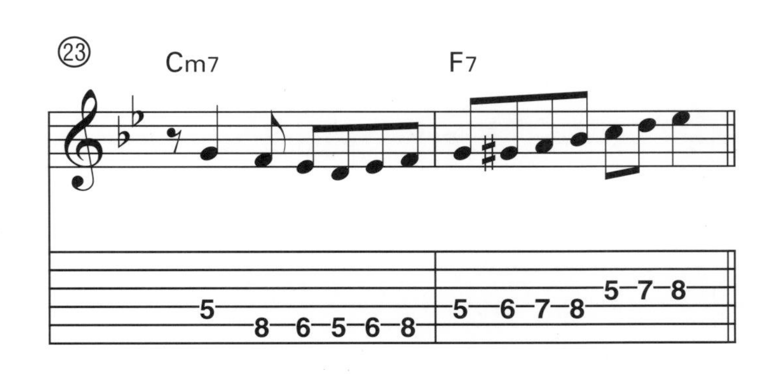
㉓
Cm7
F7

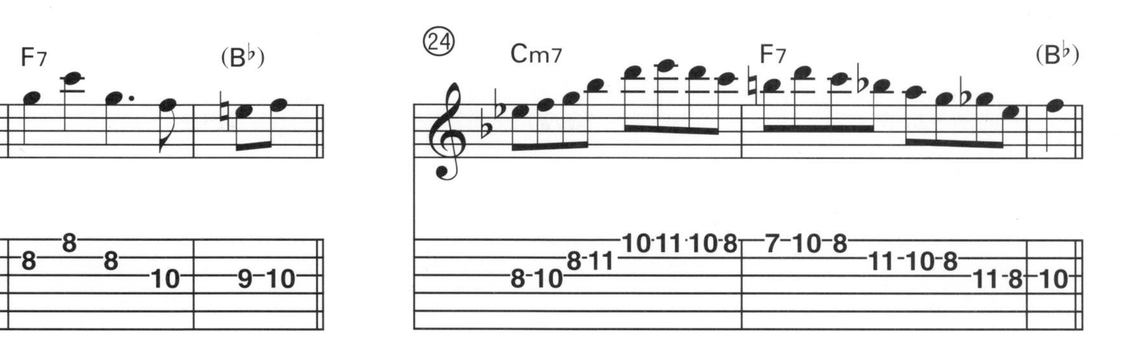
㉔
Cm7
F7
(B♭)

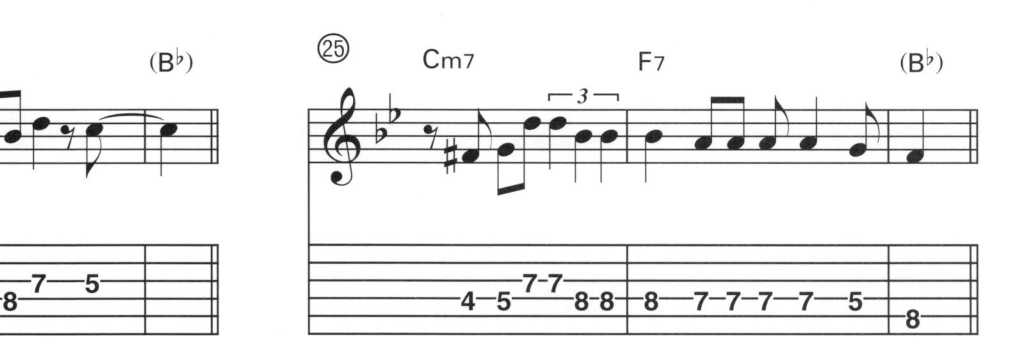
㉕
Cm7
F7
(B♭)

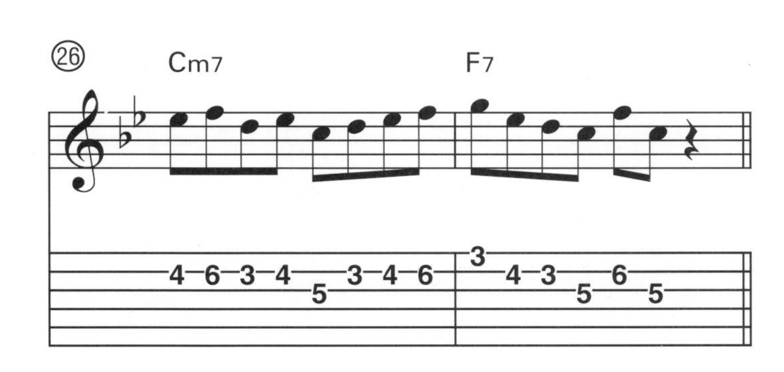
㉖
Cm7
F7

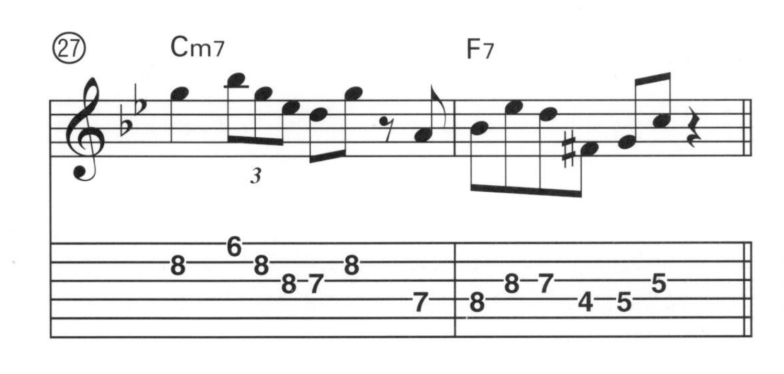
㉗
Cm7
F7

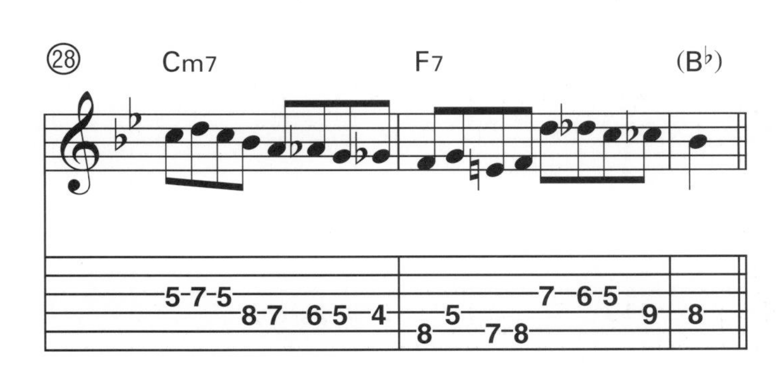
㉘
Cm7
F7
(B♭)

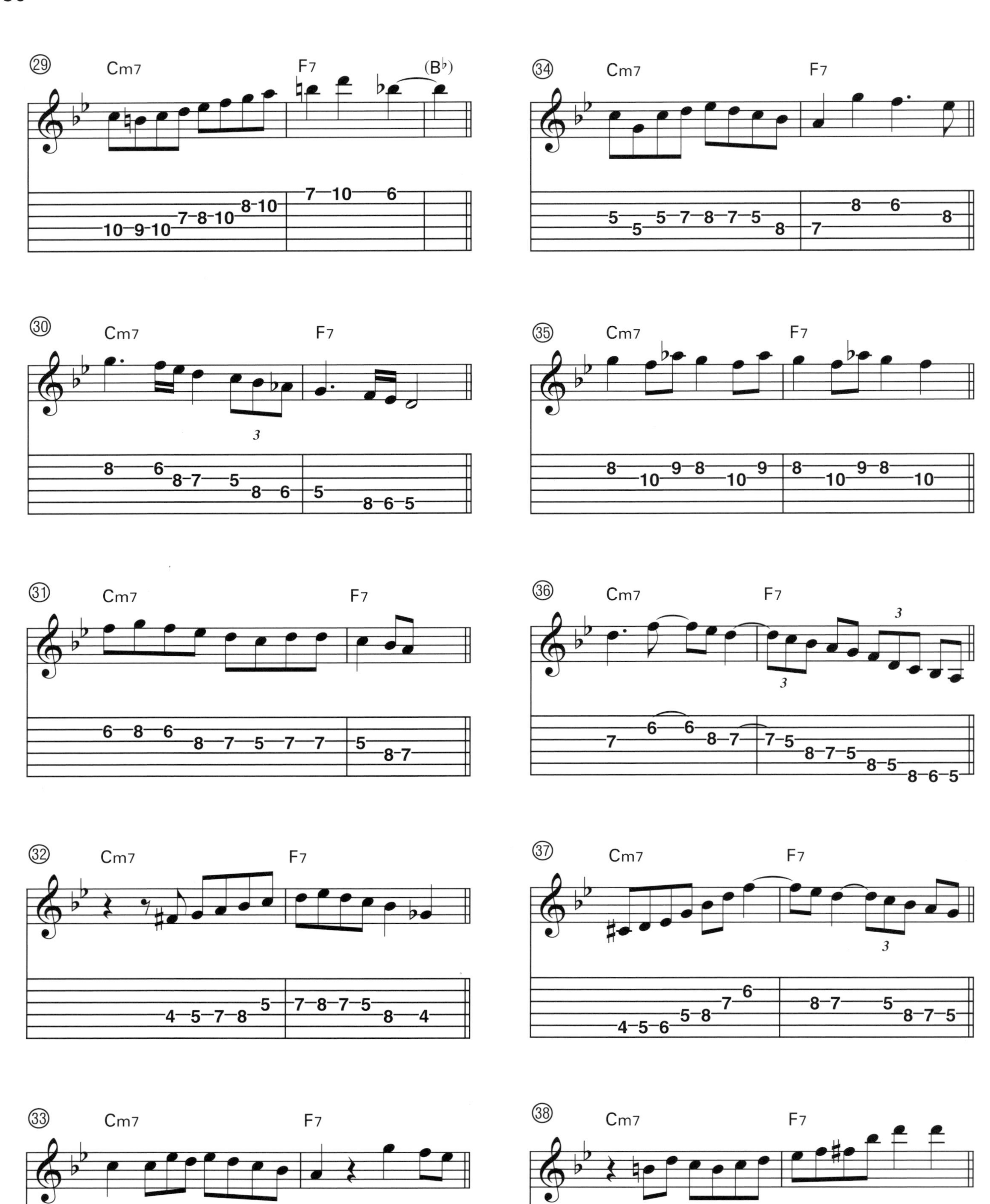

㉙ Cm7 F7 (B♭)
㉚ Cm7 F7
㉛ Cm7 F7
㉜ Cm7 F7
㉝ Cm7 F7
㉞ Cm7 F7
㉟ Cm7 F7
㊱ Cm7 F7
㊲ Cm7 F7
㊳ Cm7 F7

次のハーモニック・ヴァンプを使って、これまでに学習した２小節のii-V（ロングii-V）のラインをプレイ・アロングCDに合わせて練習しましょう。

ロングii-V ヴァンプ

Track 9のリズム・トラックを使って、サークル・オブ4thに沿って移調する練習をしましょう。この練習は、ラインを12のキーすべてで確実に習得できます。

４度で移動するロングii-Vのラインの練習

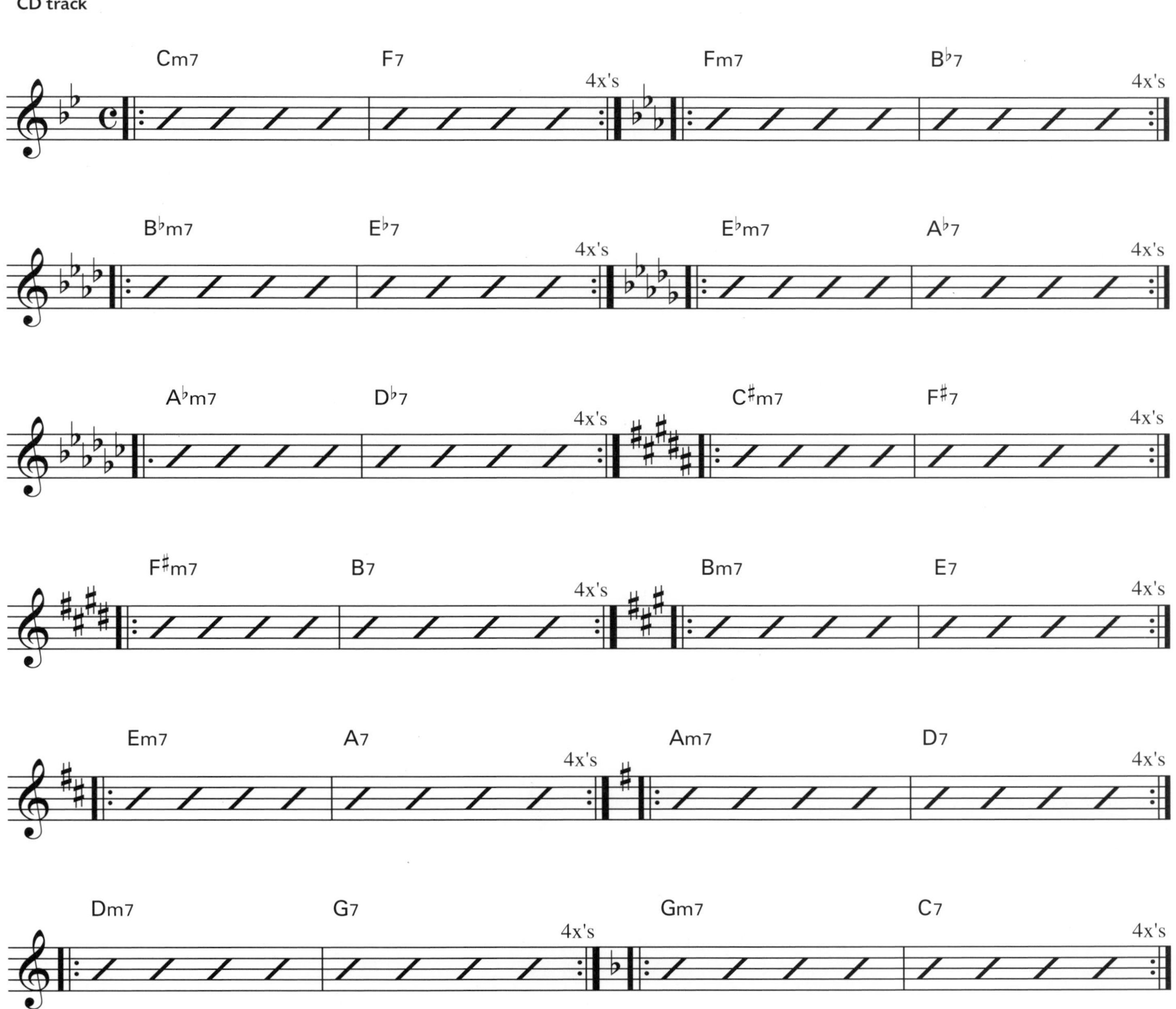

メジャー・コード(I)マテリアル

すべての譜例は一般的な4/4拍子で記譜されています。

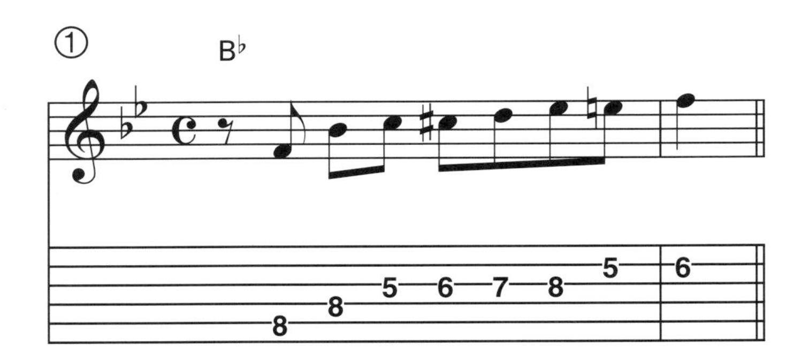

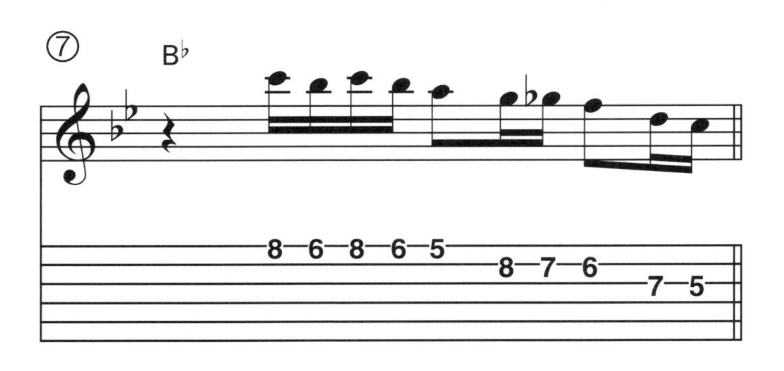

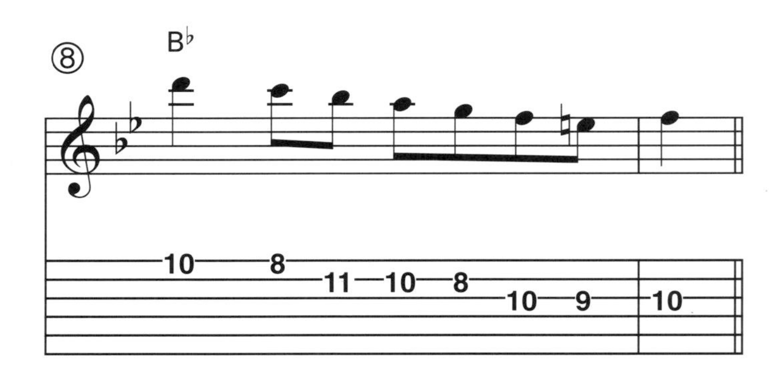

⑨

⑩

⑪

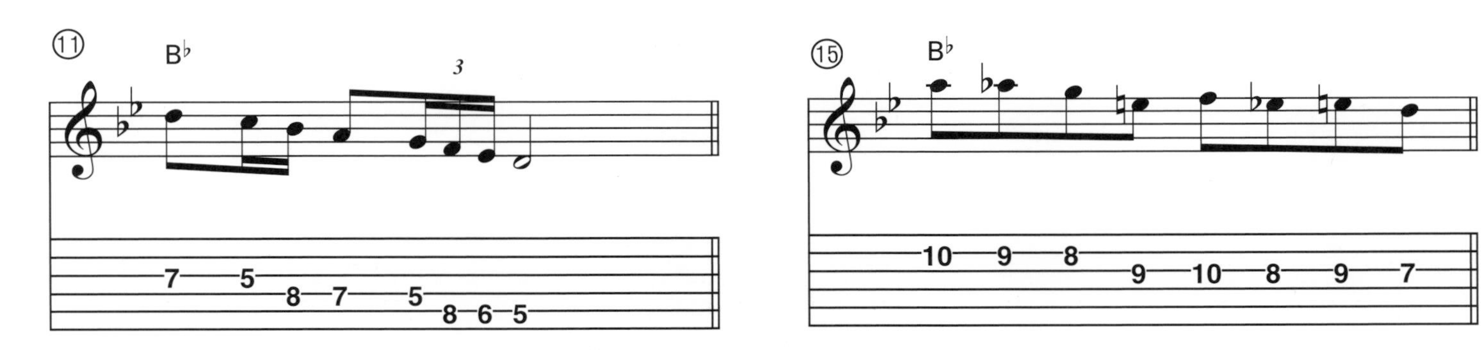

⑫

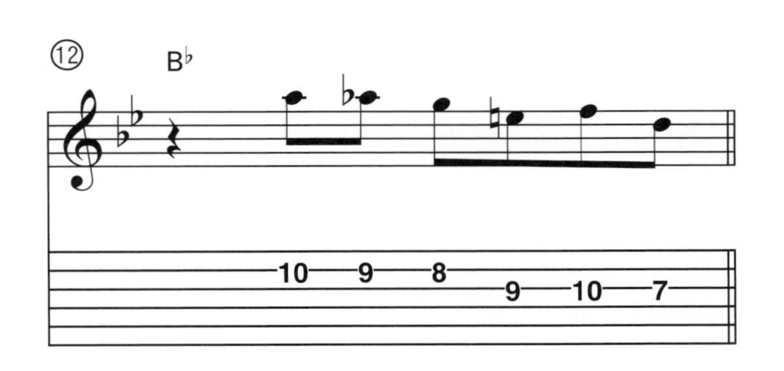

⑬

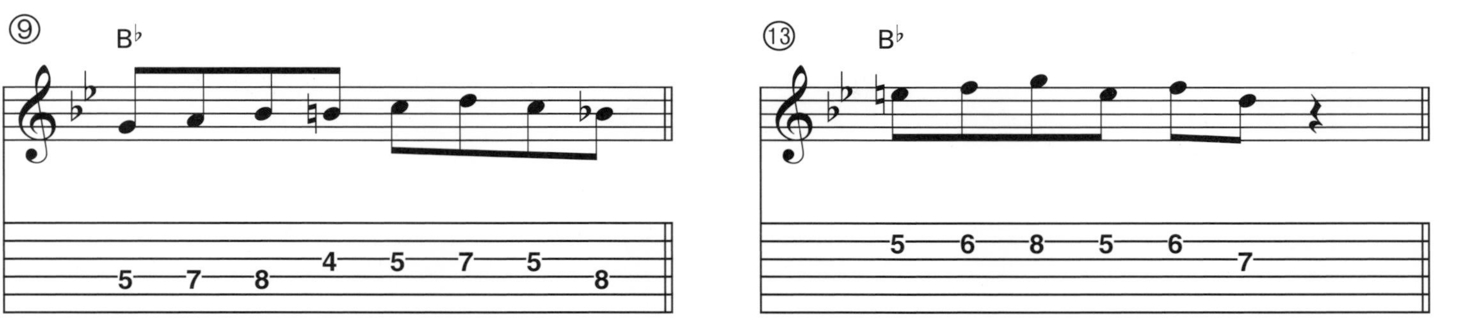

⑭

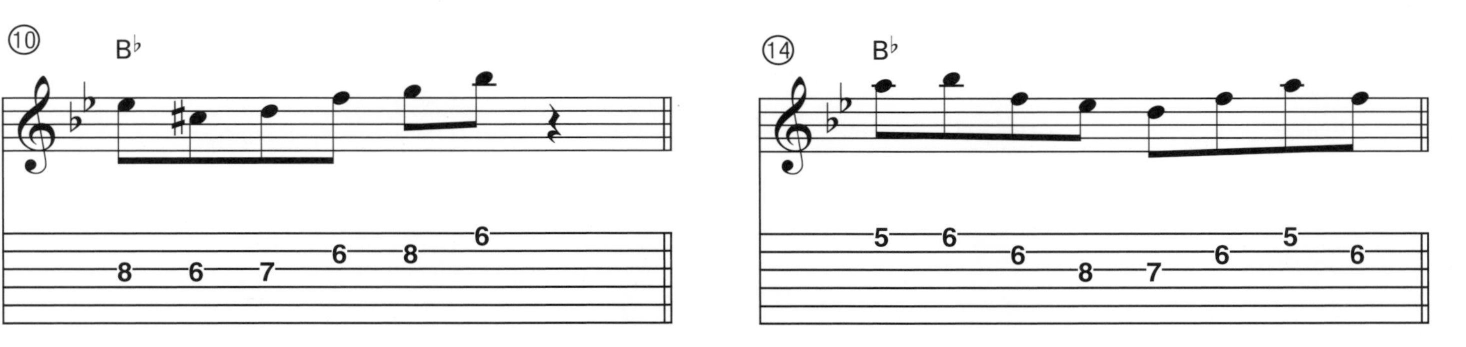

⑮

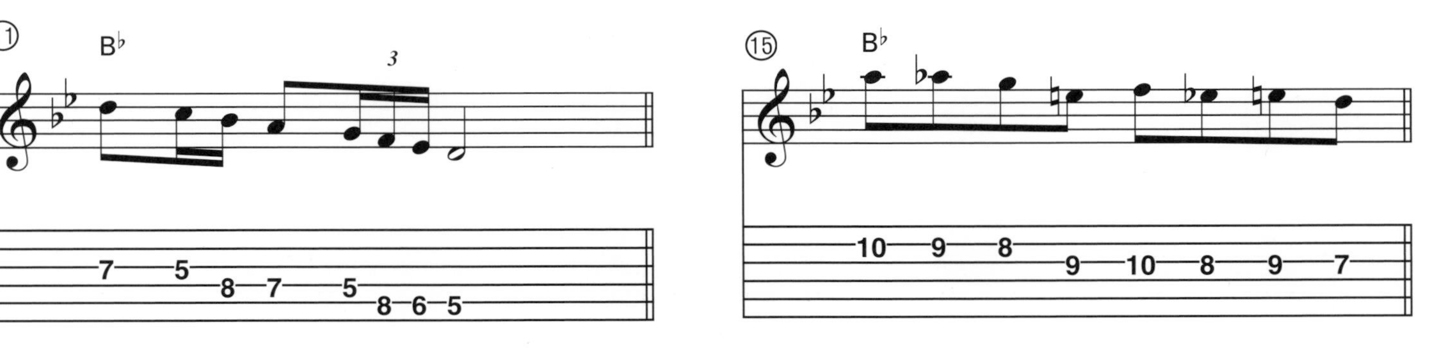

⑯

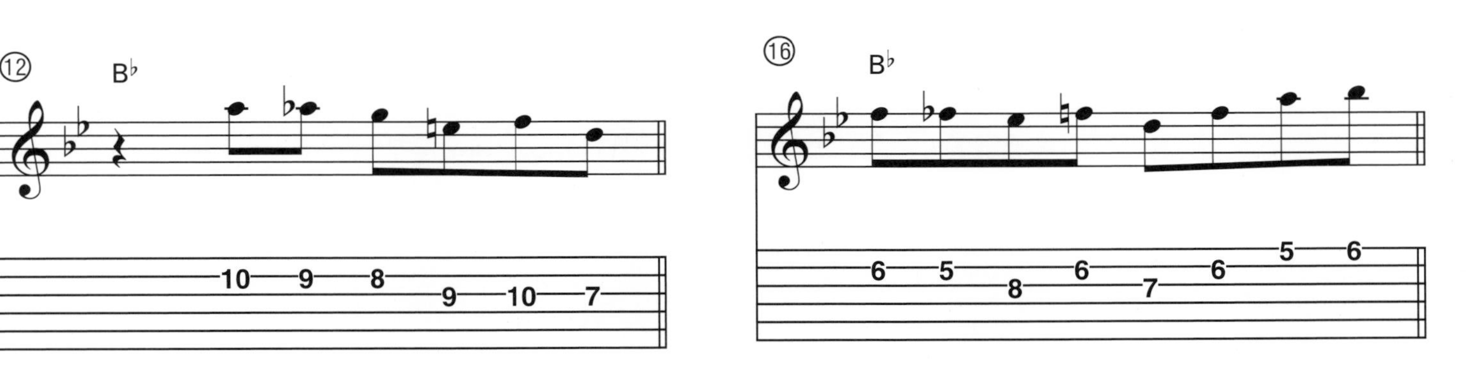

17
B♭
18
B♭
19
B♭
20
B♭
21
B♭
22
B♭
23
B♭
24
B♭
25
B♭
26
B♭

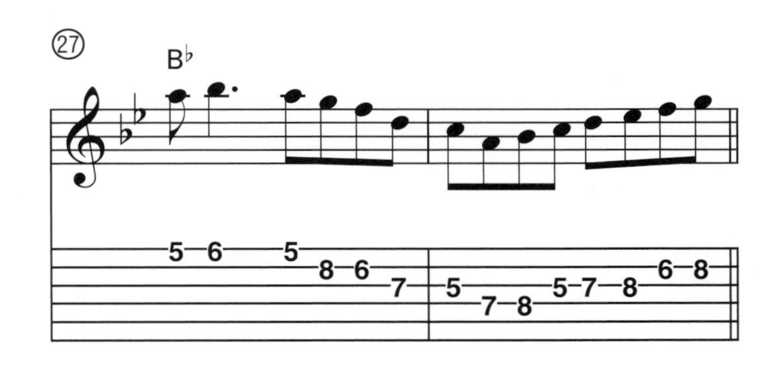
㉗
B♭

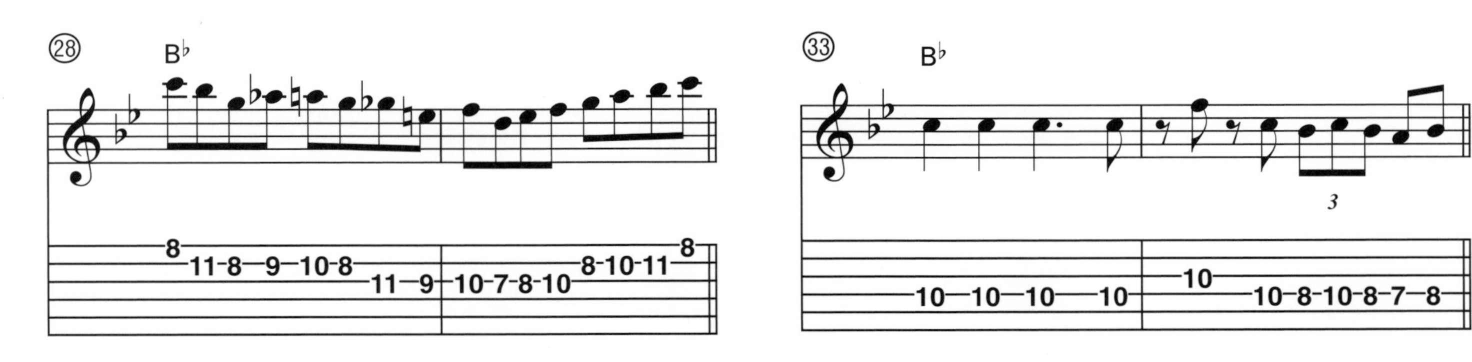
㉘
B♭
㉝
B♭

㉙
B♭

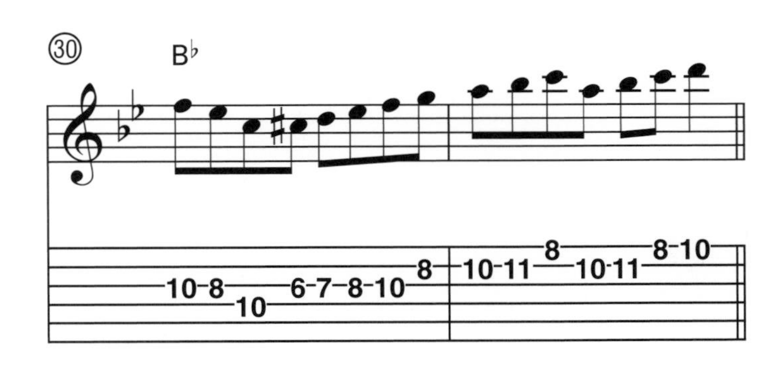
㉚
B♭

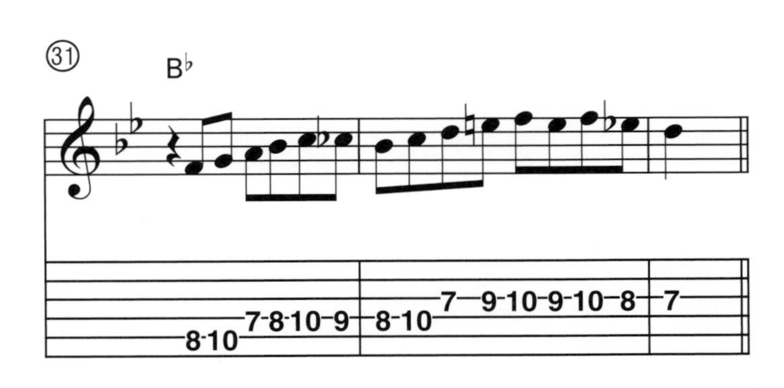
㉛
B♭

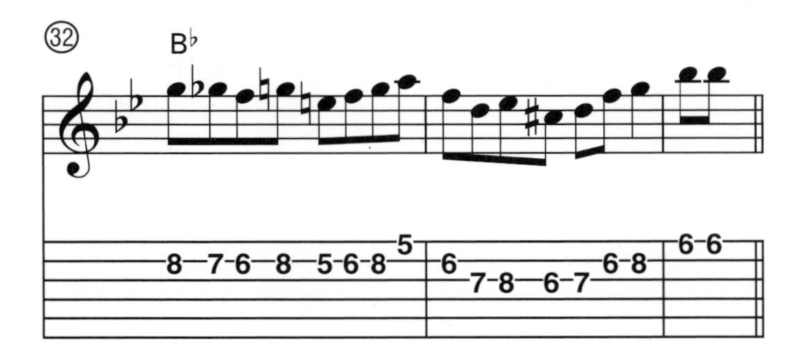
㉜
B♭

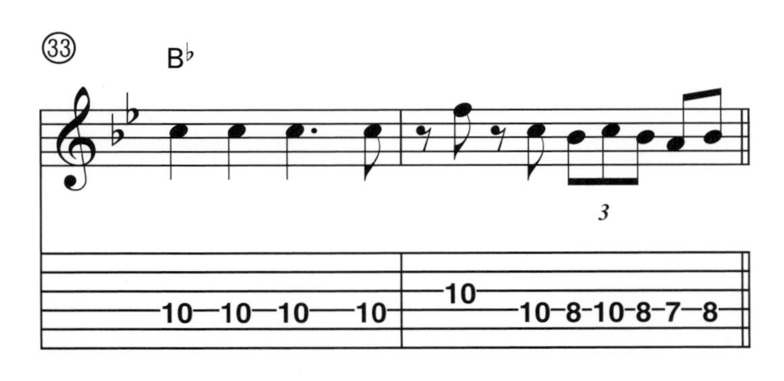
㉝
B♭

次のハーモニック・ヴァンプを使って、これまでに学習したメジャー・コードのラインをプレイ・アロングCDに合わせて練習しましょう。

メジャー・ヴァンプ

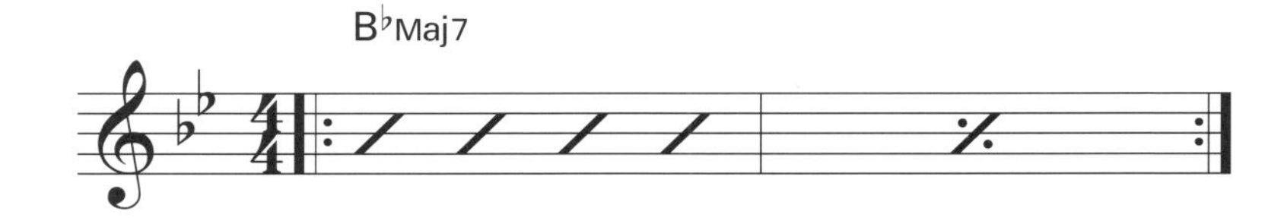

Track 11 のリズム・トラックを使って、サークル・オブ 4th に沿って移調する練習をしましょう。この練習は、ラインを12のキーすべてで確実に習得できます。

11
CD track

4度で移動するメジャー・コードのラインの練習

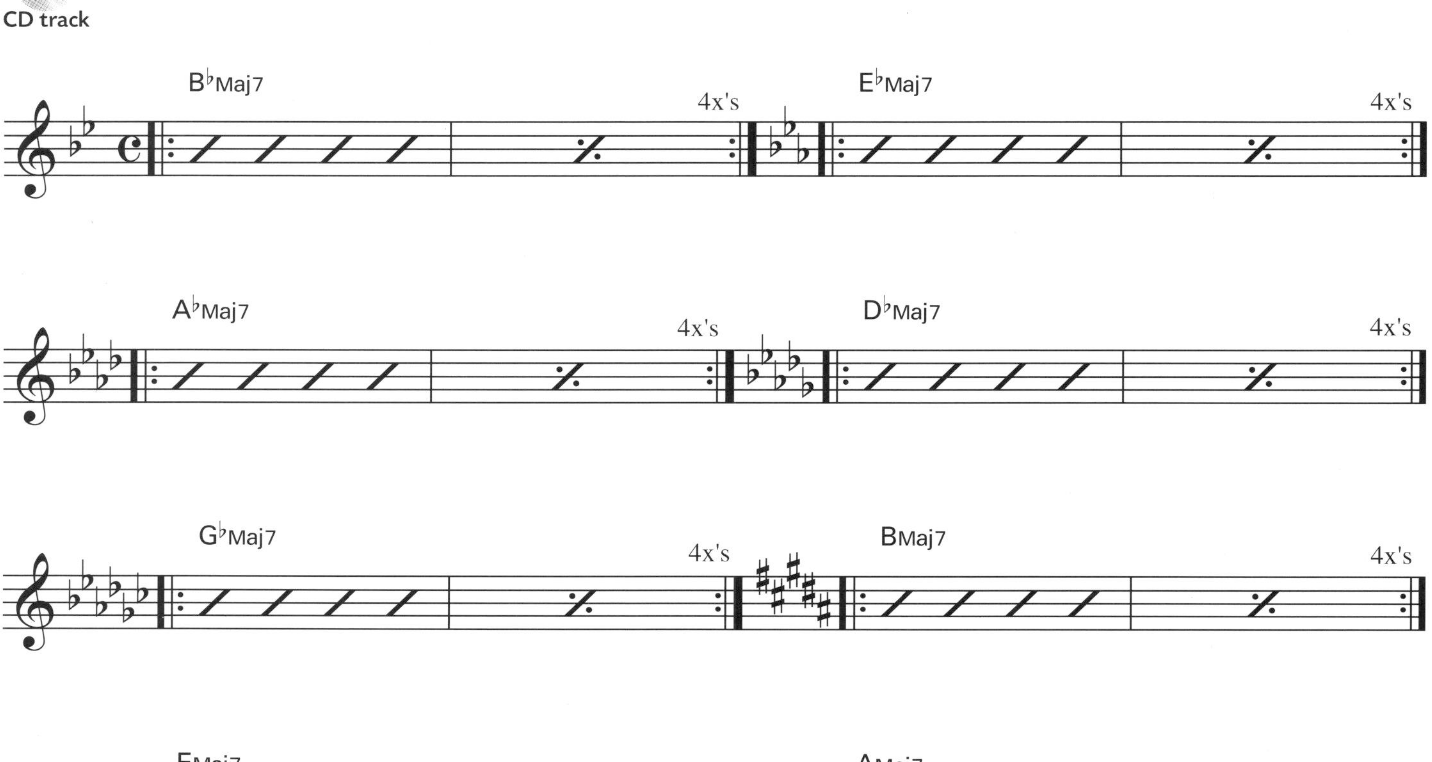

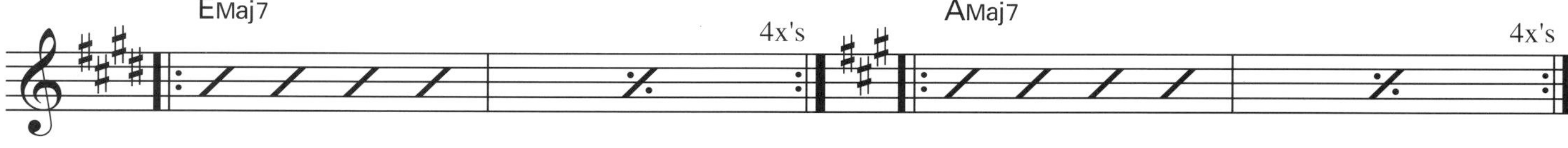

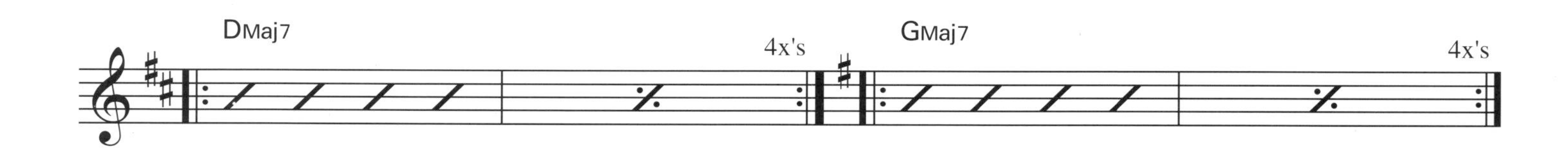

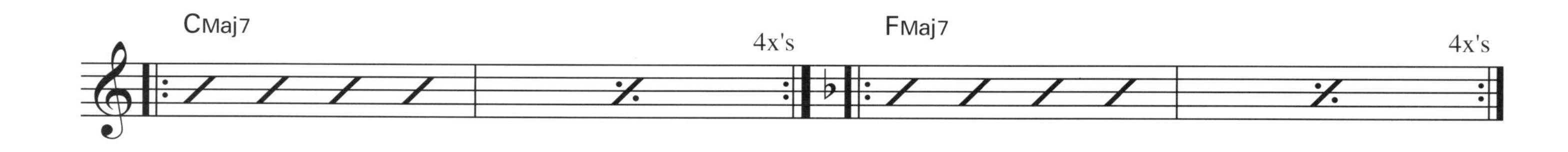

マイナーii-Vマテリアル

すべての譜例は一般的な4/4拍子で記譜されています。

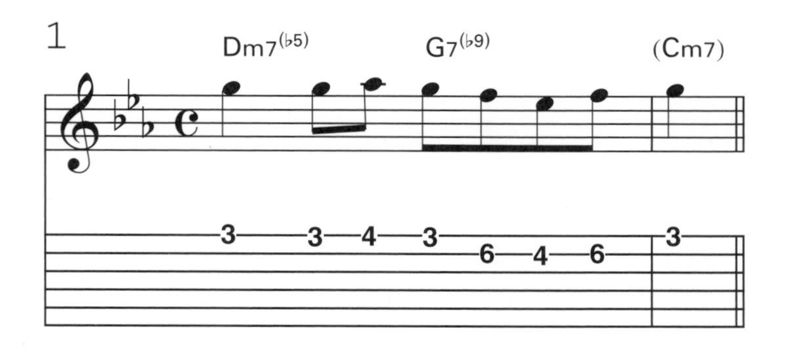

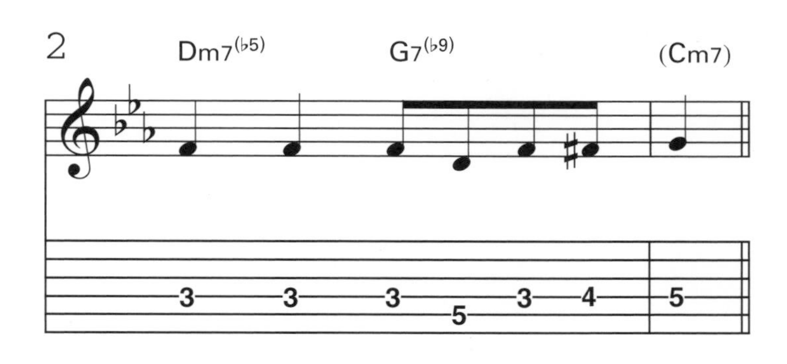

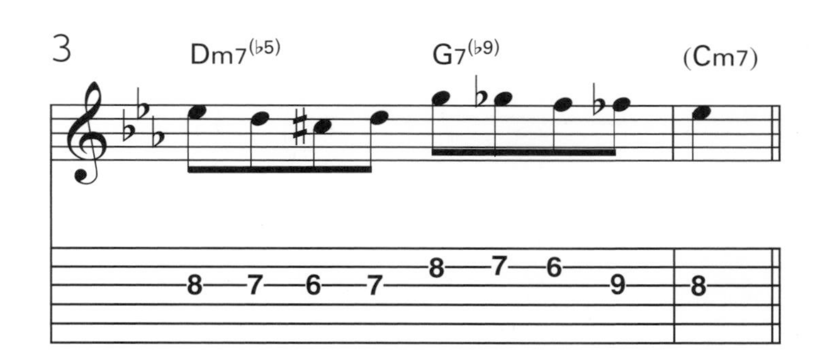

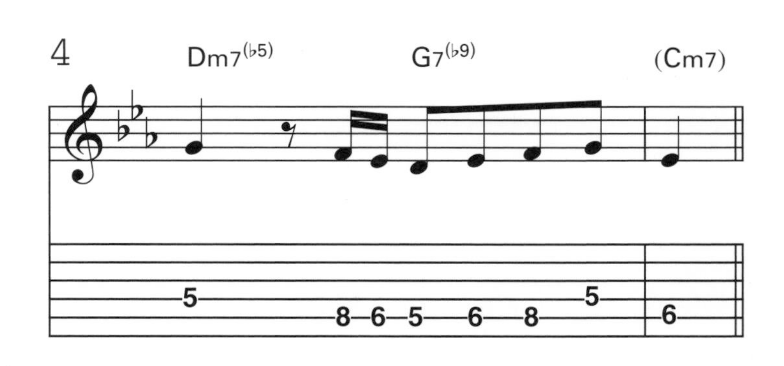

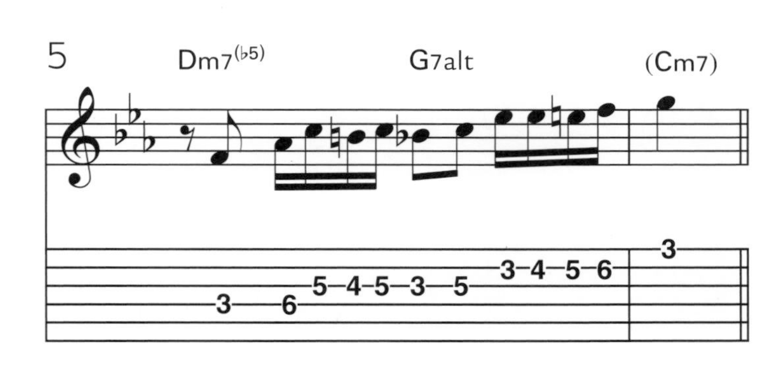

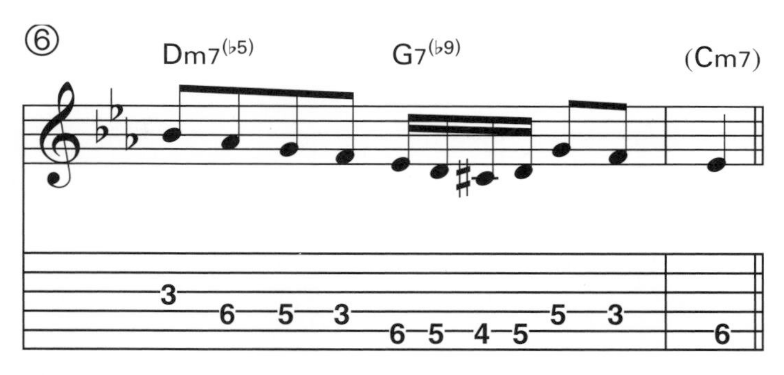

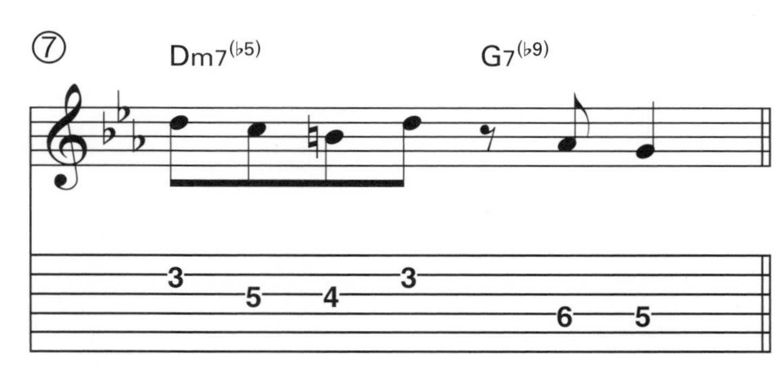

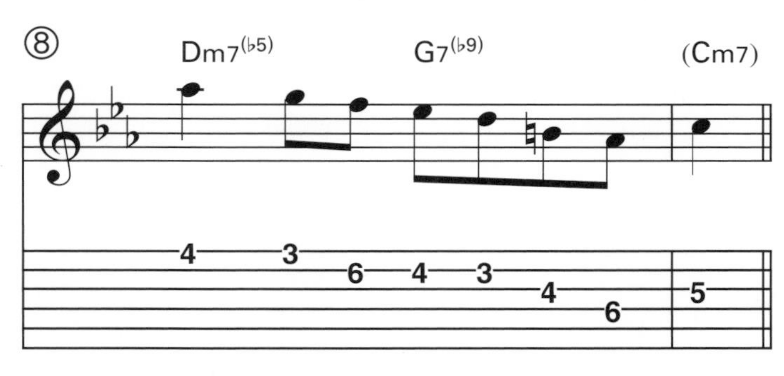

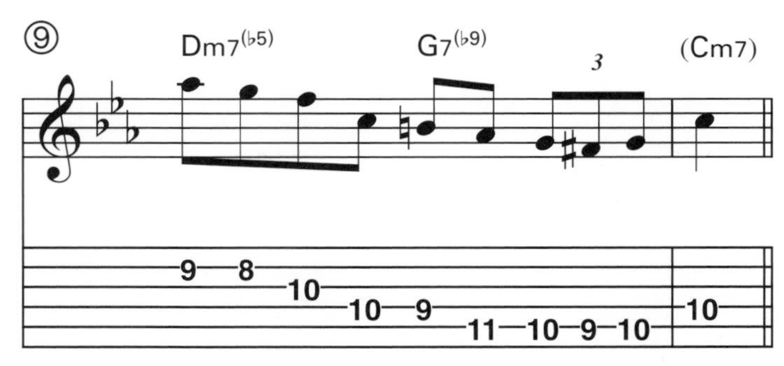

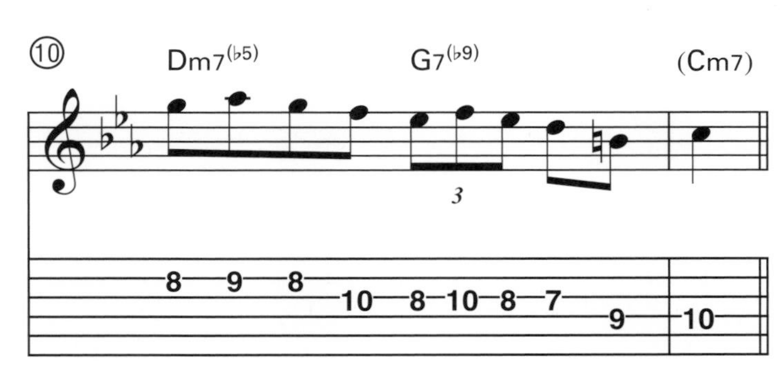

⑪
Dm7(♭5)
G7(♭9)
(Cm7)
⑯
Dm7(♭5)
G7(♭9)
(Cm7)
⑫
Dm7(♭5)
G7(♭9)
(Cm7)
⑰
Dm7(♭5)
G7(♭9)
(Cm7)
⑬
Dm7(♭5)
G7(♭9)
(Cm7)
⑱
Dm7(♭5)
G7(♭9)
(Cm7)
⑭
Dm7(♭5)
G7(♭9)
(Cm7)
⑲
Dm7(♭5)
G7(♭9)
(Cm7)
⑮
Dm7(♭5)
G7(♭9)
(Cm7)
⑳
Dm7(♭5)
G7(♭9)
(Cm7)

㉑
Dm7(♭5)
G7(♭9)
(Cm7)
10
9
11
8
㉖
Dm7(♭5)
G7(♭9)
(Cm7)
4 3 4 6 5 3 6
㉒
Dm7(♭5)
G7(♭9)
(Cm7)
4 3 3 2 3 3 4 3 6
㉗
Dm7(♭5)
G7(♭9)
(Cm7)
8 7 10 9 7 9 8
㉓
Dm7(♭5)
G7(♭9)
(Cm7)
3 4 5 2 3 5 6 3 4 5 3 4 6 3 4
㉘
Dm7(♭5)
G7(♭9)
(Cm7)
5 6 7 8 9 8 8
㉔
Dm7(♭5)
G7(♭9)
(Cm7)
3 4 6 3 6 3 5 4 6 5 4 5 3
㉙
Dm7(♭5)
G7(♭9)
(Cm7)
5 4 3 4 6 3 4
㉕
Dm7(♭5)
G7(♭9)
(Cm7)
6 5 3 4 6 3 3
㉚
Dm7(♭5)
G7(♭9)
(Cm7)
4 5 3 4 6 3 4 3 6 5

次のハーモニック・ヴァンプを使って、これまでに学習したマイナー ii - V のラインをプレイ・アロングCD に合わせて練習しましょう。

マイナー ii-V ヴァンプ

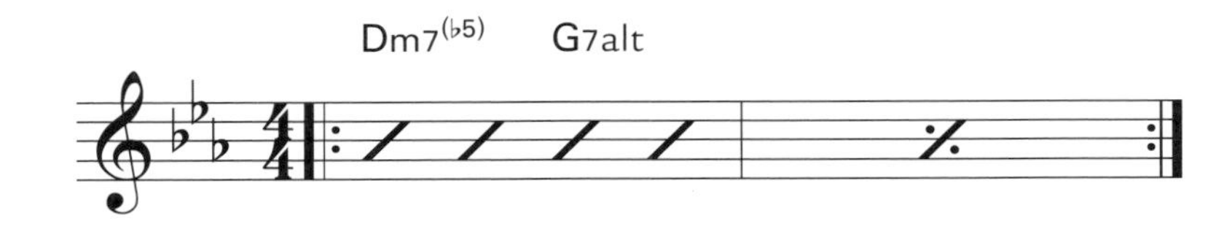

Track 13 のリズム・トラックを使って、サークル・オブ 4th に沿って移調する練習をしましょう。この練習は、ラインを 12 のキーすべてで確実に習得できます。

13
CD track

4 度で移動するマイナー ii-V のラインの練習

ターンアラウンド

ジャズにおける最も基本的なターンアラウンドの１つは、マイナー ii-V からメジャー ii-V へ進むコード・プログレッションです。メジャー ii-V は、トニック・メジャー・コードに解決します。ターンアラウンドは、トニック・コードに解決する小節の２小節前から始まります。多くの曲はトニックから始まるため、そのトニックへ解決するためのターンアラウンドは曲の最後の２小節に見られることが多いのです。以下のプログレッションは、Dm7(♭5)、G7alt、Cm7、F7 コードが B♭キーでのターンアラウンドを形作っています。マイナー ii-V のラインと、メジャー ii-V のラインを組み合わせることによって、ターンアラウンド上で使えるラインを簡単に創ることができます。以下の例は、メジャーとマイナーの ii-V ラインをどのように組み合わせてインプロヴァイズするのかを示したものです。

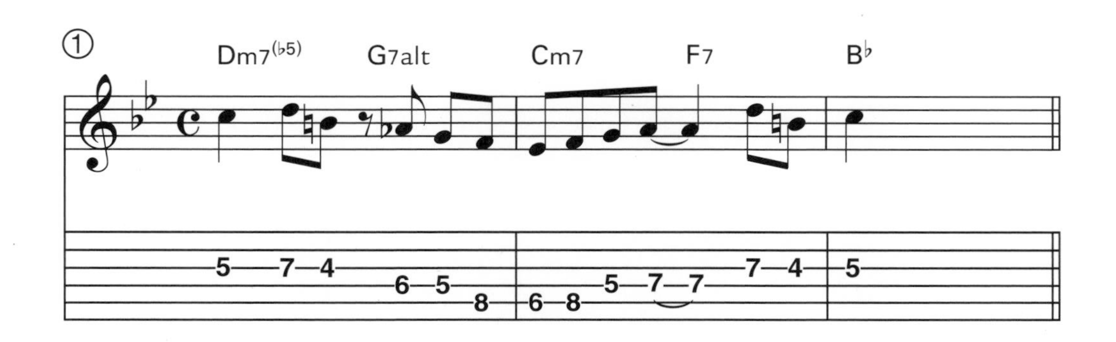

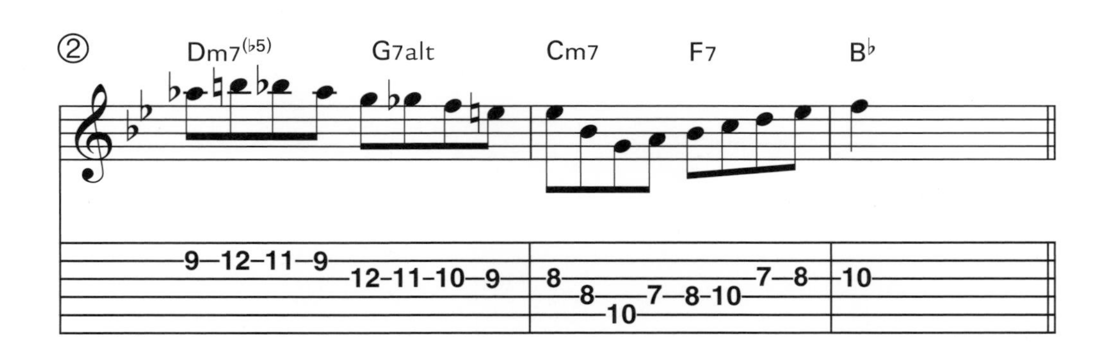

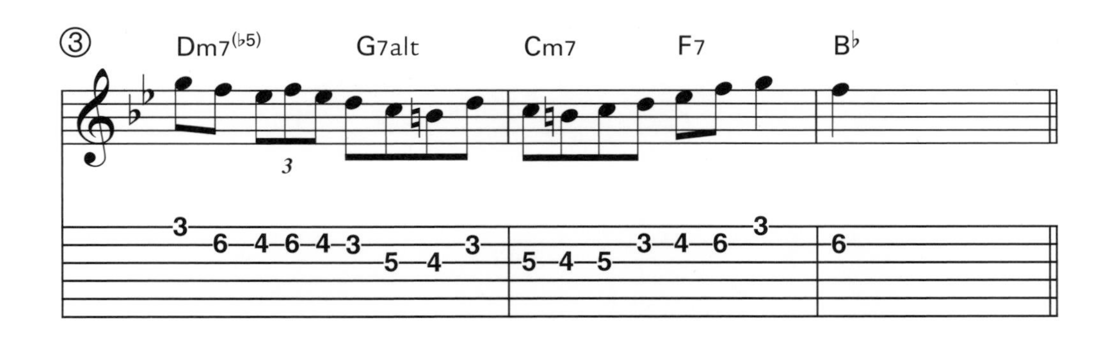

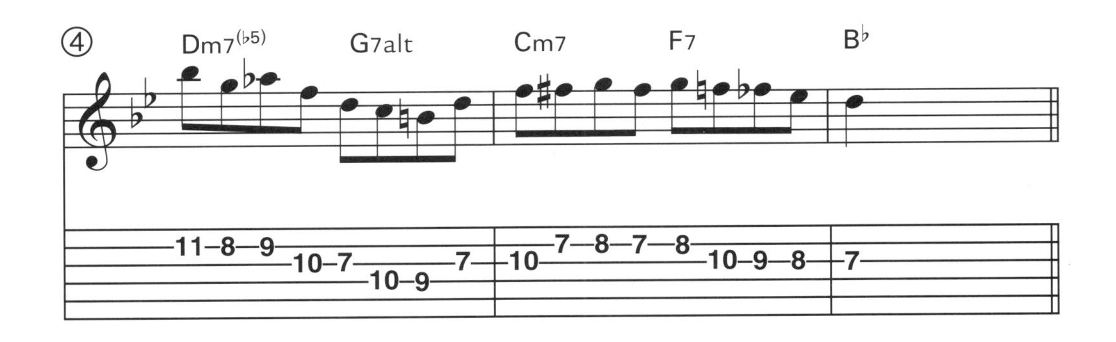
④
Dm7(♭5)
G7alt
Cm7
F7
B♭

⑤
Dm7(♭5)
G7alt
Cm7
F7
B♭

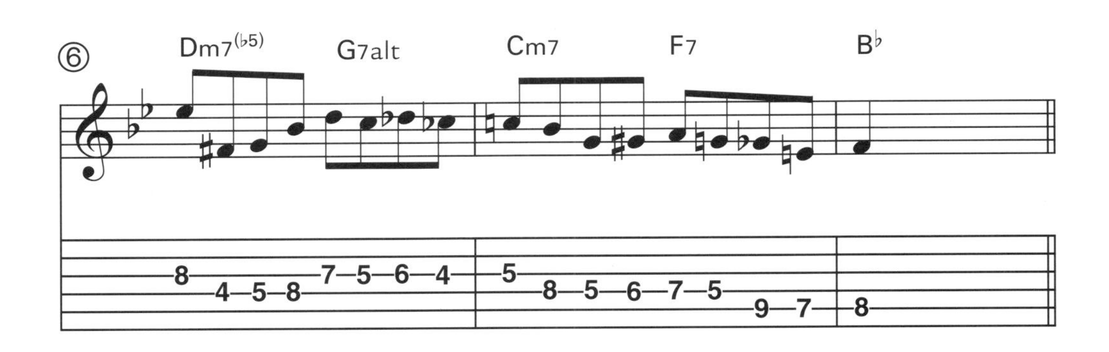
⑥
Dm7(♭5)
G7alt
Cm7
F7
B♭

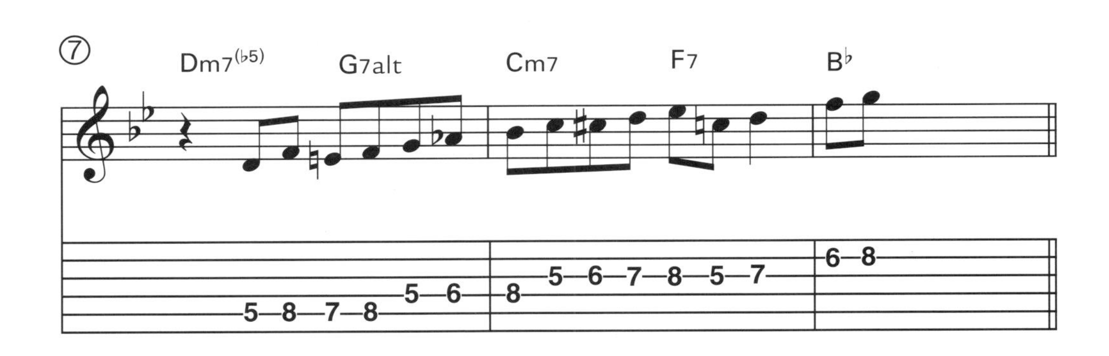
⑦
Dm7(♭5)
G7alt
Cm7
F7
B♭

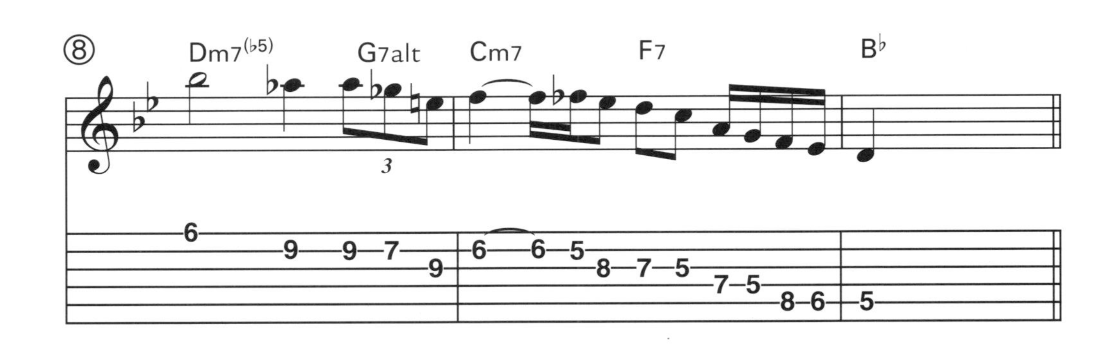
⑧
Dm7(♭5)
G7alt
Cm7
F7
B♭
3

以下のターンアラウンドに合わせてマイナーとメジャーのii-Vラインを組み合わせる練習をしましょう。以下のターンアラウンドはプレイ・アロングCDに収録されています。

14
CD track

ターンアラウンド・ヴァンプ

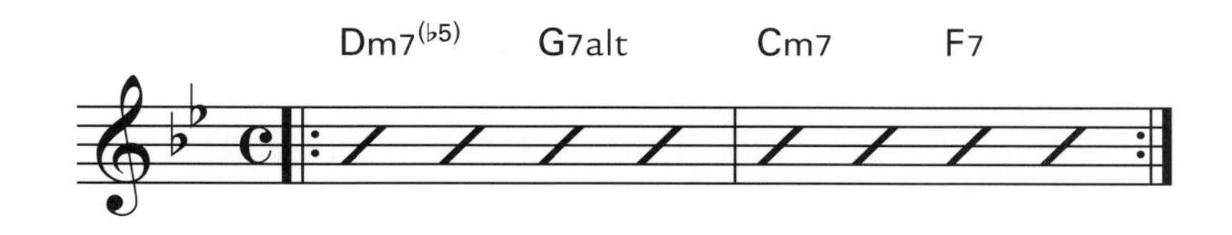

15
CD track

4度で移動するターンアラウンドのラインの練習

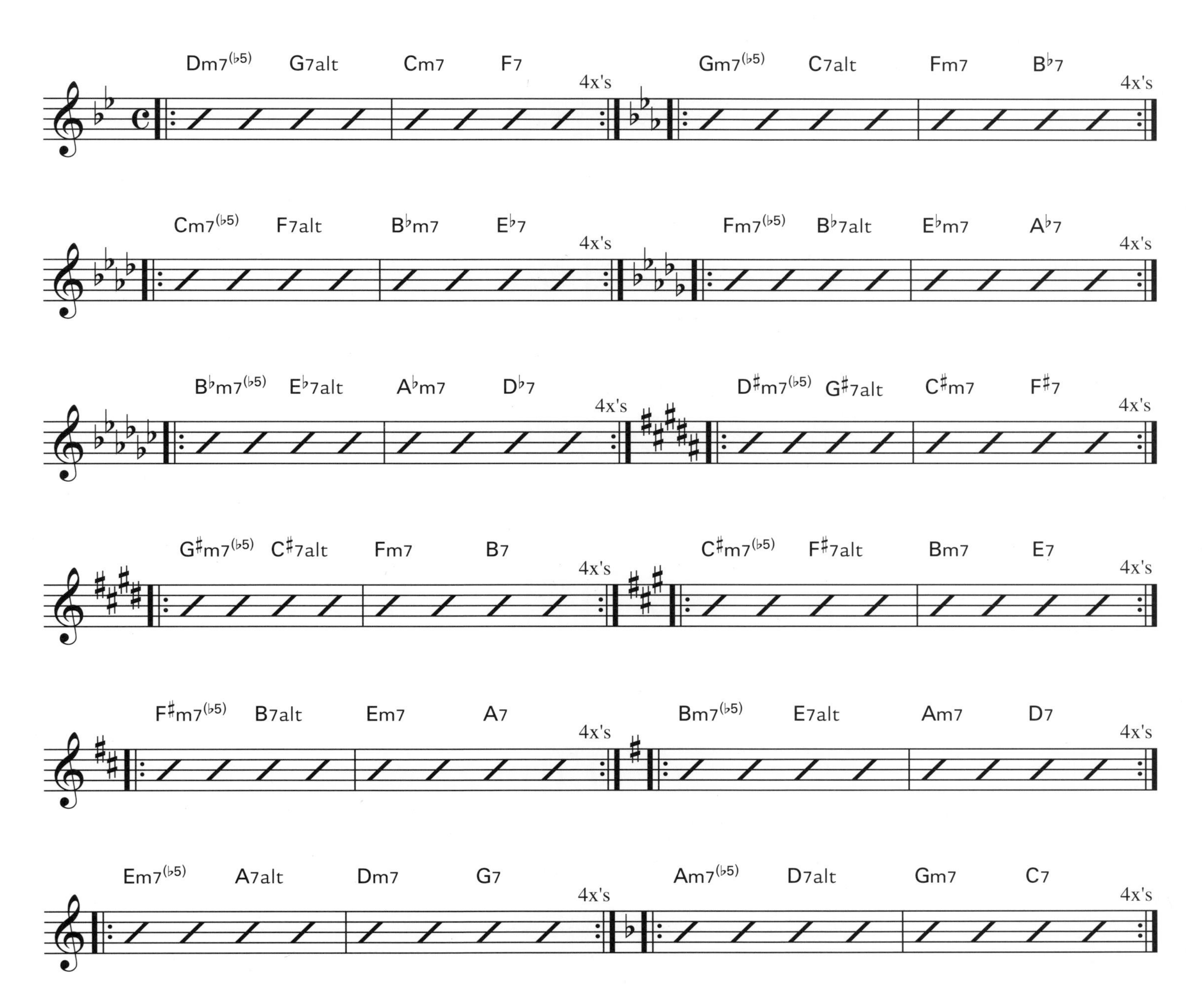

CDのプレイ･アロング･トラックと一緒に、メジャーとマイナーのii-V-Iプログレッション上でパターンを組み合わせる練習をしましょう。各コードに対するフレーズ･パターンには、マイナー･コード、ドミナント7thコード、ショートii-V、ロングii-V、メジャー･コードのそれぞれの項で学んだラインを使いましょう。さまざまなコンビネーションを創る可能性は無限にあります。

ショートii-V-Iヴァンプ

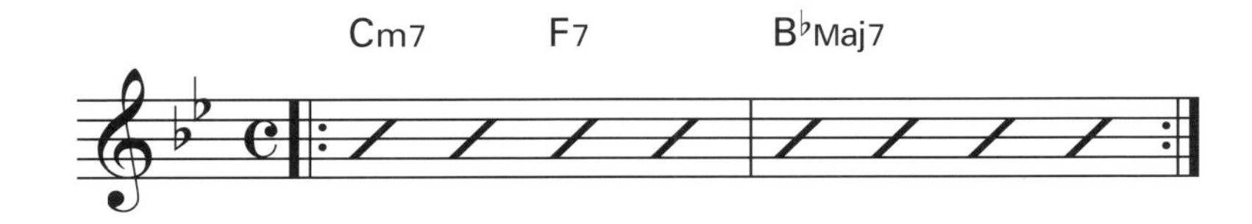

17
CD track

4度で移動するショートii-V-Iラインの練習

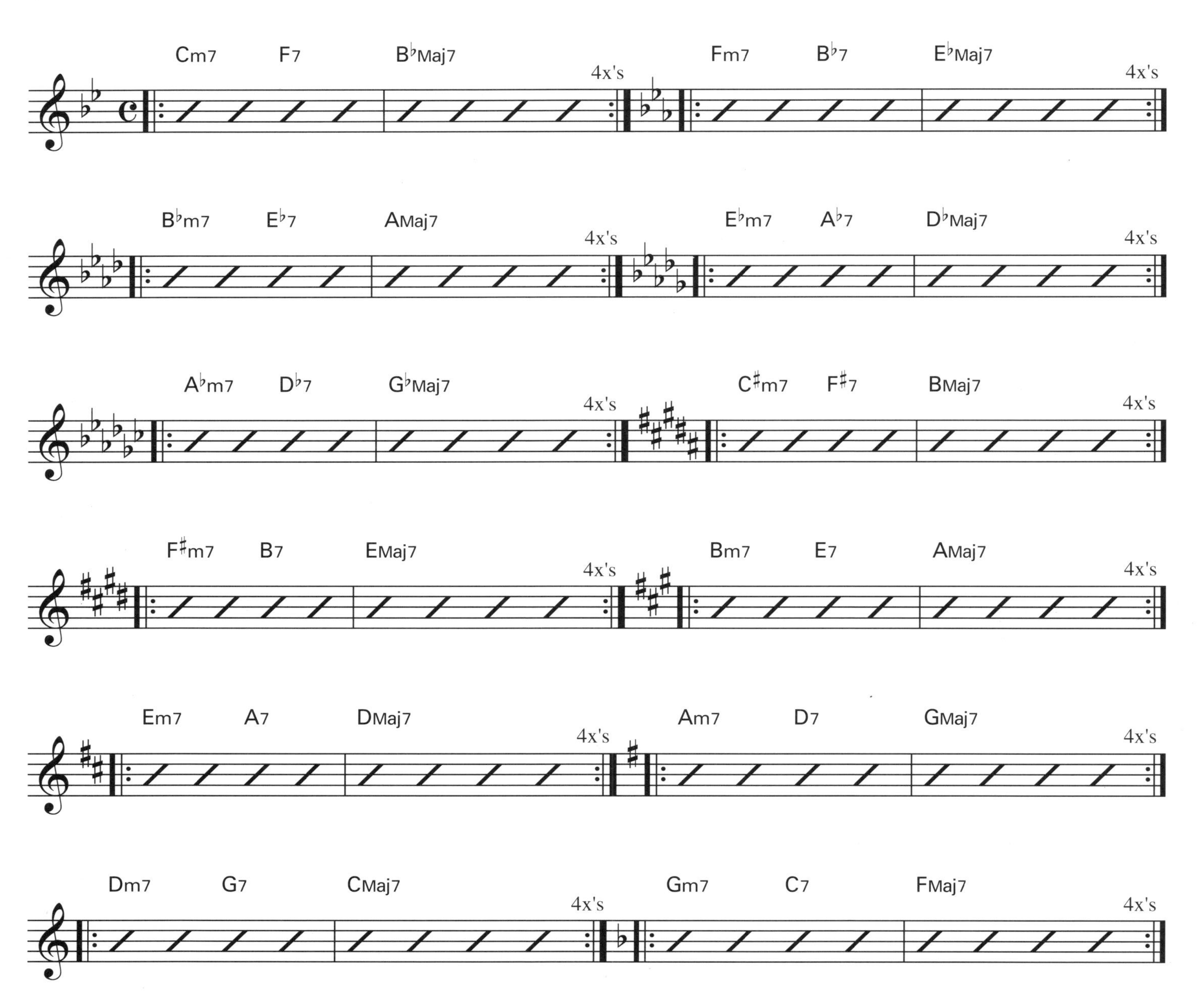

18
CD track

ロングii-V-Iヴァンプ

19
CD track

4度で移動するロングii-V-Iラインの練習

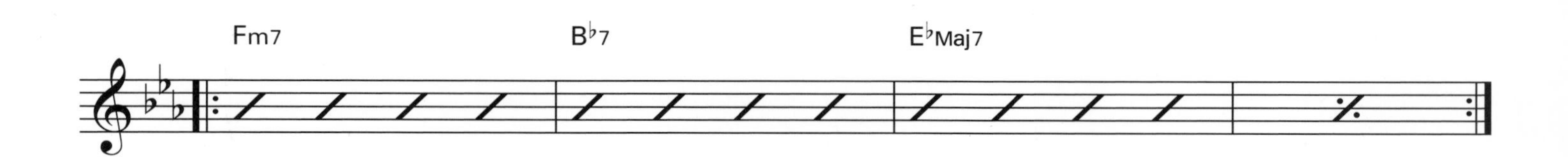

C♯m7 F7 BMaj7

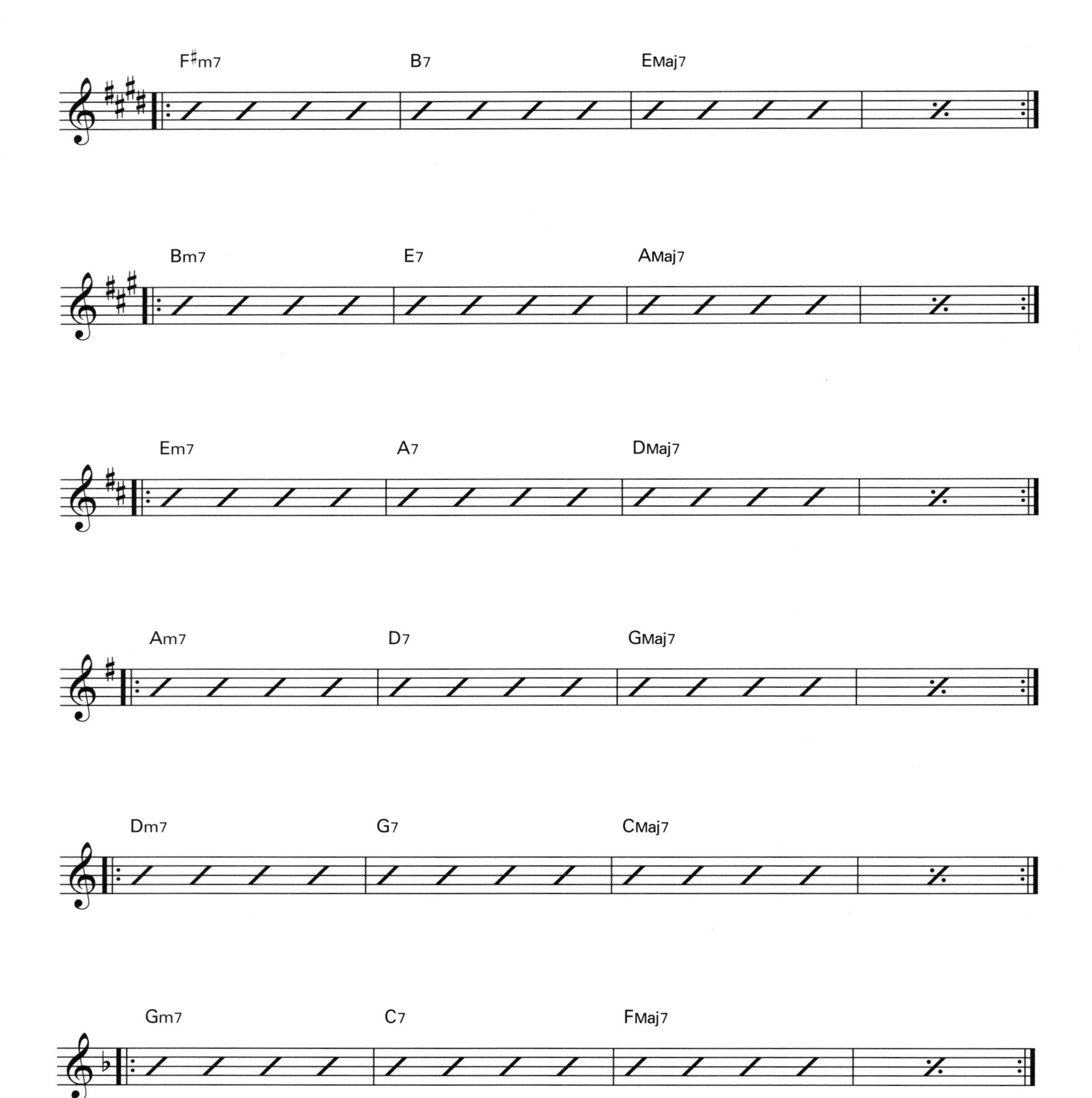
F♯m7
B7
EMaj7
Bm7
E7
AMaj7
Em7
A7
DMaj7
Am7
D7
GMaj7
Dm7
G7
CMaj7
Gm7
C7
FMaj7

20 CD track

マイナーii-V-iヴァンプ

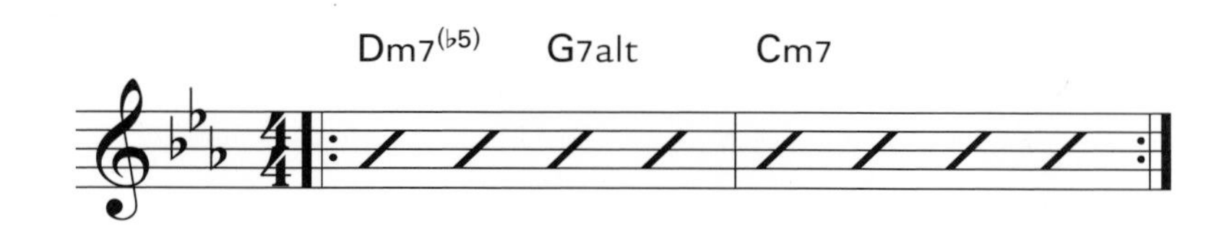

21 CD track

4度で移動するマイナーii-V-iラインの練習

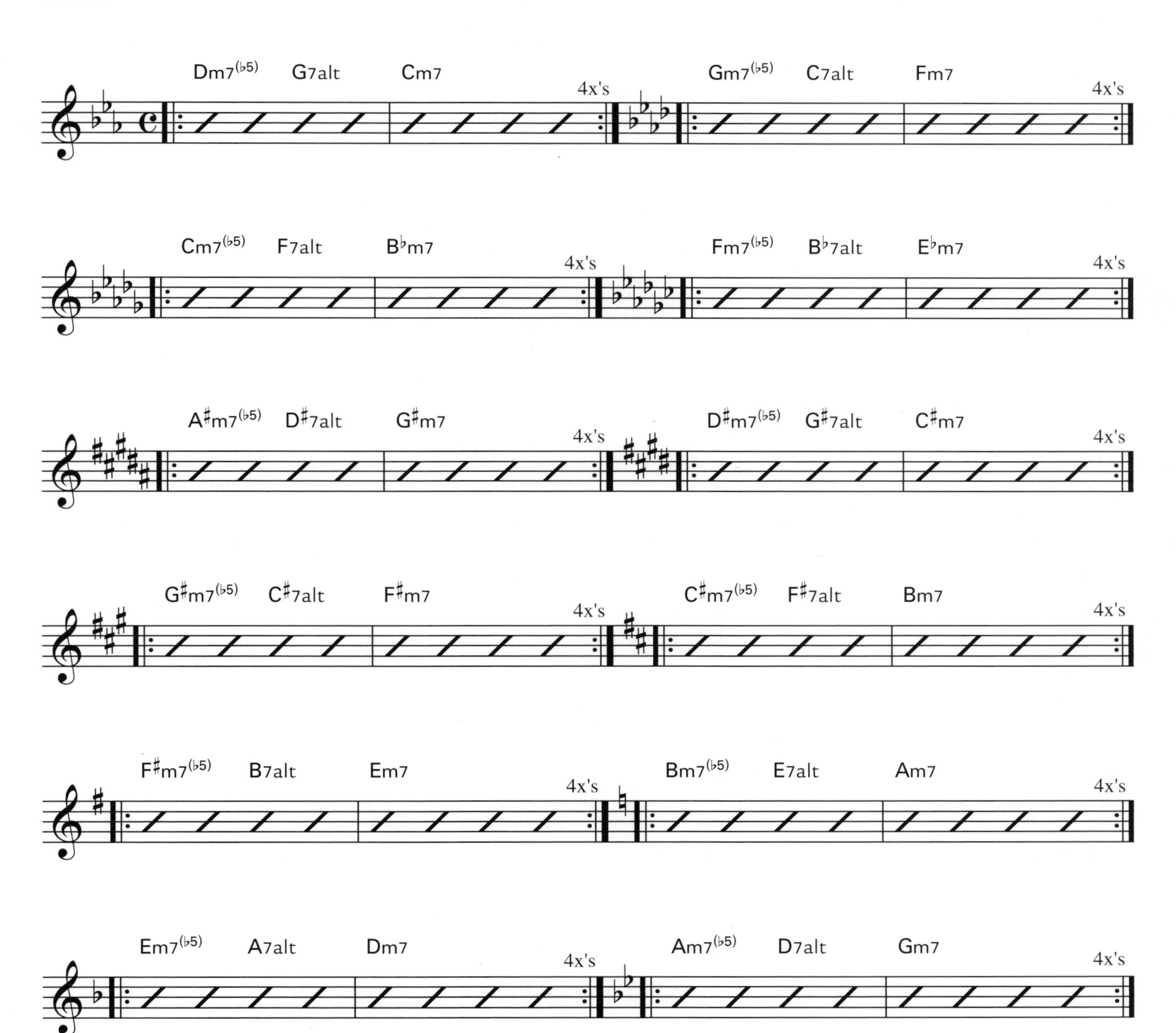

ソロを創る

以下のエチュードは、本書に出てきたラインやそのヴァリエーションをどのように使って実際にインプロヴァイズするのかを示しています。

エチュード

G7
スペース
Gm7
C7
1小節の ii-V ②
FMaj7
メジャー ⑲
D7
スペース
G7
ドミナント ㉒
Gm7
C7
1小節の ii-V ⑮
Cm7
スペース
F7
ドミナント ⑱
B♭Maj7
メジャー ㉙
Bm7(♭5)
E7(♭9)
マイナー ii-V ㉑
Am7
スペース
D7
ドミナント ①
Gm7
C7
2小節の ii-V ⑲
Am7(♭5)
D7(♭9)
Gm7
C7
ターンアラウンド ③
FMaj7(♯11)

以下のコード･プログレッションはジャズ･スタンダードのPent Up HouseとConfirmationと同様のものです。各プログレッションは、ii-V-Iプログレッションを使っています。Confirmationでは、マイナーii-V-Iプログレッションも使っています。本書で学んだラインを使って、これらのコード･プログレッション上でインプロヴァイズする練習をしましょう。

23 CD track Pent Up Houseタイプのプログレッションを使用したエチュード

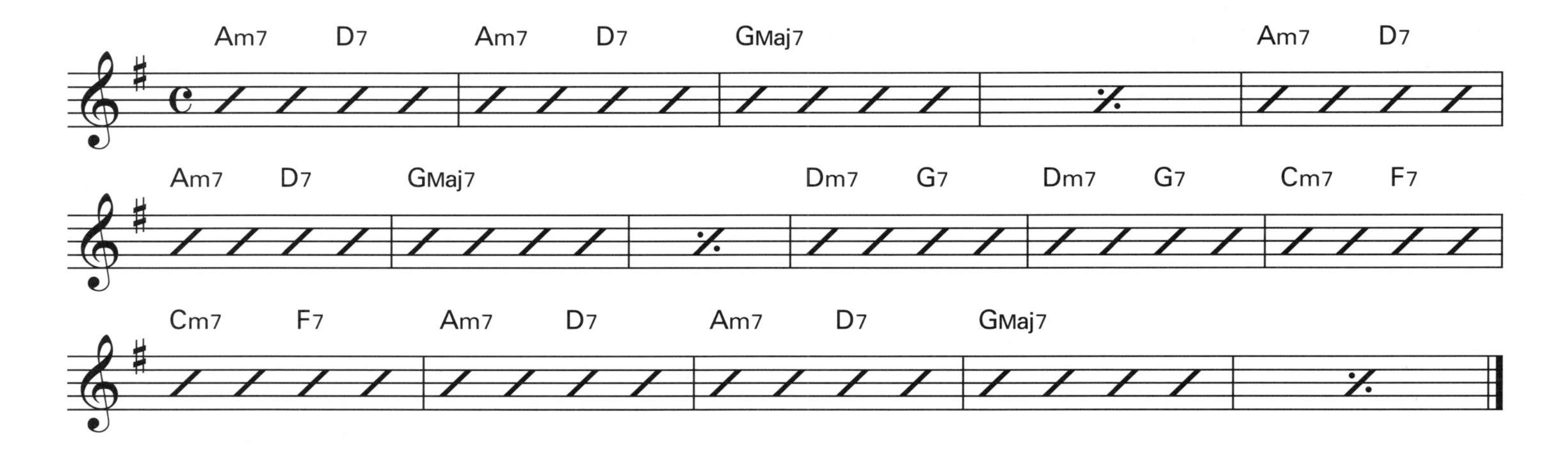

24 CD track Confirmationタイプのプログレッションを使用したエチュード

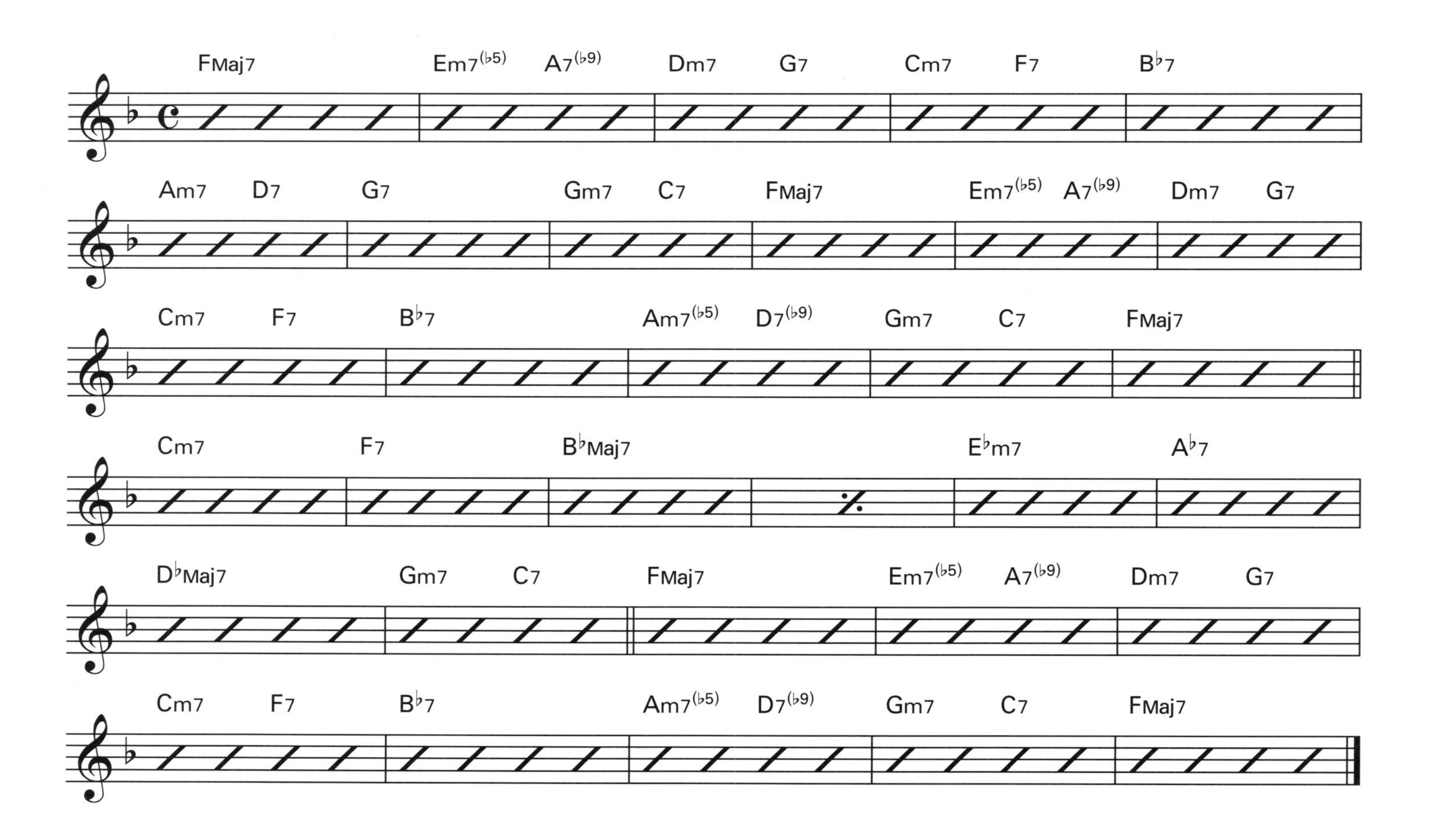

バリー・ハリス・メソッドに基づくビバップ・スタディ
トーク・ジャズ・ギター

Talk jazz Guitar 《模範演奏/マイナス・ワンCD付》

Roni Ben-Hur 著

定価［本体4,000円+税］

本書は、ビバップ・スタディにおける包括的なテキストで、ジャズ・インプロヴィゼイションの主要なツールとして、詳細な説明がなされています。本書には、あなたのテクニック、楽器の理解、ジャズ・メロディに対するフィーリングを向上するための、発展的な教材がたくさん含まれています。イン・テンポで練習すれば、リズム感がよりよく改善されるでしょう。ここにはすばらしいマテリアルが掲載され、そのすべては生きたジャズ・フレーズを基にしています。また、本書のどのパートも、ソロ・パートとして活用できます。

すべてのスタディにはフィンガリングとフレッドボード・ダイアグラムが掲載されています。また、付属の15トラックには、著者である*Roni Ben-Hur*と、NYで最もすばらしいリズム・セクションの1つである、*Tardo Hammer* (piano)、*Earl May* (bass)、*Leory Williams* (drums)の演奏が収録されています。 本書の課題をマスターするための、力強いツールとなることでしょう。

付属CDを聴き、彼らの演奏をよく理解し、その後でCDと一緒に練習しましょう。CDではギター・チャンネルを絞って、リズム・セクションだけで練習することもできます。

本書の主な内容

メジャー、およびドミナント7thスケールのハーフ・ステップのルール　アルペジオ・スタディ
メジャー、およびマイナー・アルペジオのサラウンド・ノート　ディミニッシュ・コード
メジャーとマイナーの6thコードのサラウンド・ノート　メジャーとマイナー6thディミニッシュ・スケール
ドミナント7thスケール　オーグメント・コードとホールトーン・スケール
ディミニッシュ・コードを使ったI6／II7／V7ターンアラウンド　メジャーとマイナーのアルペジオとその転回形

幅広いヴォキャブラリーをめざす
モダン・ジャズ・ギター・スタイル

Modern jazz Guitar Styles 《模範演奏CD付》

Andre Bush 著

定価［本体3,500円+税］

マイク・スターン、ジョン・スコフィールド、スコット・ヘンダーソンなど
現在活躍するジャズ・ギタリストたちのテクニックを
彼らの背景にあるルーツまで掘り下げて分析した全く新しいメソッド・ブック！

ジャズが21世紀に足を踏みいれ、クリエイティヴなギタリストたちは多くの音楽的選択肢を知るようになりました。コンテンポラリー・ジャズには、ポップ、ロック、テクノ、ヒップホップ、ラップ、ワールド・ミュージックなどの影響が流れ込んできています。例えば*Jimi Hendrix*と*Charlie Parker*のサウンドが、現代におけるジャズ・ギターのヴォキャブラリーの中に並んで存在していることは明確な事実です。

本書は、現代のジャズ・ギターにおける、ソロ・テクニック、コード・プレイング、リズミック・セオリー、それらの実用的な適用方法を探究しています。近年の有名なジャズ・ギタリスト、およびコンポーザーを取り上げ、伝統的なジャズの語法以外からどれほどさまざまなスタイルが彼らの作品に見られるかを研究します。また、付属CDにはそれぞれのエクササイズの例が収録され、本書を学ぶ上で非常に効果的です。

本書の主な内容

スケール、およびシングル・ノートのソロ　シングル・ノートを使ったソロにおけるアプローチの探究
インターヴァルの選択　ピッキング・テクニックとアーティキュレーション
モダン・コード・ヴォイシングへのアプローチ　ヴォイス・リーディングの発展
クォータル・ハーモニー、クラスター・ヴォイシング、モダンな代理　他

あなたのニーズと目的に合わせてチョイスできる　ギター・プライヴェート・レッスン・シリーズ

本シリーズは、*Jon Finn*、*Vic Juris*、*Steve Masakowski*、*Sid Jacobs*、*Mimi Fox*、*Ron Eschete*、*Barry Greene*、*Bruce Saunders*、*Mark Boling*、そしてジャズ・ラインの探求シリーズでおなじみ*Corey Christiansen*など、最高のプレイヤーやエデュケーターによって書かれた本とCDのセットです。

この**コンセプト徹底活用シリーズ**は、初心者から上級者までのミュージシャンが、さまざまな特定のコンセプトを消化しやすい形で伝授するということを可能にしてくれました。

定価［本体2,500円+税］

豊かなハーモニーを生み出す
ジャズ・イントロ&エンディング《模範演奏CD付》
JAZZ INTROS AND ENDINGS　*Ron Eschete* 著・演奏

ジャズ・イントロ&エンディングは、さまざまなキーやスタイルの楽曲におけるイントロとエンディングを60例紹介しています。著者*Ron Eschete*は*Ray Brown*、*Gene Harris*, *Ella Fitzgerald*をはじめとするビッグネームと共演するなど有名で、称賛されているギタリストです。ここでの豊かなハーモニーによるフレーズは、あなた自身のイントロやエンディングを生み出すうえで多くのすばらしいアイディアと理解をもたらすでしょう。譜面では５線譜に加えられたコード・ダイアグラムが学習の助けとなります。

定価［本体2,500円+税］

ジャズ・コードとラインを活かすガイド・トーン
ザ・チェンジ《模範演奏CD付》
THE CHANGES: GUIDE TONES FOR JAZZ CHORDS, LINES & COMPING　*Sid Jacobs* 著・演奏

ザ・チェンジ は、フレットボード上でガイド・トーンを視覚化（頭の中で、指の細かな動きまで、具体的に思い浮かべること）するノウハウを提供するもので、ビギナーから上級者まで利用できる効果的なアプローチです。**視覚化されたシェイプ**を元に、ソロでのラインや、コンピングやコード・メロディのためのヴォイシングを創りだすことができます。

シンプルなアプローチこそが常にベストです。ガイド・トーンはプレイを容易にするだけでなく、コード・プログレッションを心地よく耳に伝えます。またガイド・トーンを装飾することは、バロックからビバップ、さらにその先の音楽に至るまで、ミュージシャンたちがインプロヴィゼイションにおいてコード・チェンジを行う際にずっと用いてきた手法です。

定価［本体2,500円+税］

センスある伴奏テクニックを学ぶ
コンピング・コンセプト《模範演奏CD付》
CREATIVE COMPING CONCEPTS FOR JAZZ GUITAR　*Mark Boling* 著・演奏

コンピング・コンセプト は、６つのコード・プログレッションにおけるコンピング・ヴォキャブラリーを発展させることによって、この状況を改善することを目指します。本書で使われるコード・プログレッションのモデルは、ブルース、リズム・チェンジ、マイナー・ブルース、モーダル・チューン、そしていくつかのスタンダードといった、ジャズ・イディオムにおいてもっともよく使われるものです。焦点は、リズム、フレージング、コード・ヴォイシング、ヴォイス・リーディング、コード・サブスティテューション、そしてリハーモナイゼーションに対するコンテンポラリーなアプローチを発展させることにあてています。本書で紹介するコンピング・コンセプト、リズム、そしてフレーズは、たくさんのさまざまな音楽的状況において適用されます。一度ヴォキャブラリーを習得すれば、**適切な時に、それらが自然に自分の中から出てくるようになる**でしょう。

定価［本体2,500円+税］

一歩進んだインプロヴァイジング・コンセプト
ジャズ・ペンタトニック《模範演奏CD付》
JAZZ PENTATONICS / ADVANCED IMPROVISING CONCEPTS FOR GUITAR　*Bruce Saunders* 著・演奏

本書**ジャズ・ペンタトニック**では、典型的なギター学習者特有の要求に対応しながら、より活発なハーモニーの動きにおけるペンタトニック・スケールとその使用方法にアプローチすることを試みます。したがって、まずいくつかの基本的なインフォメーションを紹介してから、さまざまなハーモニーの状況における特定のペンタトニック・スケールの使い方を提示します。静止したハーモニー上のペンタトニック・スケールの使い方についても簡単に探求しますが、ギターをピアノ、サクソフォン、またはトランペットと同じ土俵に上げ、**ペンタトニック・スケールとコード・チェンジの関係を研究することが、本書の中心的なテーマ**です。

定価［本体2,500円+税］

一歩進んだインプロヴィゼイションのためのアイディア
上級ジャズ・ギター・インプロヴィゼイション《模範演奏CD付》
ADVANCED JAZZ GUITAR IMPROVISATION　*Barry Greene* 著・演奏

本書は中級から上級者のジャズ・ギタリストを対象に書かれています。コード・スケールとジャズ理論に関する、相応の知識をもっていることを前提としています。テーマとして、モード的な演奏、コード・サブスティテューション、ディミニッシュおよびメロディック・マイナー・スケール、ペンタトニックを取り上げます。

PRIVATE LESSONS

ブルース/ロック・インプロヴィゼイション《模範演奏CD付》

BLUES/ROCK IMPROV　*Jon Finn* 著・演奏

本書ブルース/ロック・インプロヴィゼイションでは、ブルース/ロックのソロ演奏に関する基本を紹介します。具体的には、基本的なリズム・ギター・パート、基本的なブルース・プログレッション、ターンアラウンド、ソロ・エクササイズ、そしてソロの演奏例を学びます。付属CDに収録されている曲は、重要な技術と考えられるものを強調するように工夫されています。

すばらしいブルース/ロックのソロは、２つか３つの簡単なコード上で演奏される、いくつかのシンプルなペンタトニック・ロック・リックにすぎません。多くのギタリストたちが、**あまりにも単純**なので、**時間をかけて練習する必要はない**という大きな誤解をしてしまいます。より注意深く聴いてみると、多くのブルース/ロックのソロには、共通する傾向があります。技術的には簡単に演奏できるが、課題は、自分自身のアイディアをもち、スタイルの傾向に従って、それを正確に実践し、そしてリスナーが注目するに値する情熱を込めることです。**簡素と簡単は同じではない**のです。

定価［本体2,500円+税］

ロック/フュージョン・インプロヴァイジング《模範演奏CD付》

ROCK/FUSION IMPROVISING　*Carl Filipiak* 著・演奏

本書では、フュージョン特有の多くのコンセプトを取り上げ、解説します。これらのアイディアを自分の演奏に取り入れれば、プレイ・アロングCDに収録されている曲のみならず、その他のフュージョンやジャズの曲を演奏する上でも役に立ちます。

本書は、*Miles Davis*、*Mahavishunu Orchestrs*、*Weather Report*、*Tribal Teck*、*Mike Stern*、*Jeff Beck*など、ロックの要素を取り入れたスタイルを中心に書かれています。ロックやブルースの基礎に慣れていれば、ほとんどの譜例に適応できるはずです。ジャズに精通した人であれば、なおさら簡単に理解することができるでしょう。

定価［本体2,500円+税］

ギターのための一歩進んだジャズ・ハーモニー

コルトレーン・チェンジ《模範演奏CD付》

COLTRANE CHANGES / APPLICATIONS OF ADVANCED JAZZ HARMONY FOR GUITAR　*Corey Christiansen* 著・演奏

偉大なジャズ・インプロヴァイザー、*John Coltrane*は1960年に発表したアルバムGiant Stepsによって、その後のリハーモナイゼイションの世界に大きな影響を与えました。本書では、難解とされる**コルトレーン・チェンジ**（コルトレーンのリハーモナイゼイション）を基礎から分析、解説し、スタンダードやブルースのコンピングやソロに応用する方法を学びます。現在では、このコルトレーン・チェンジもジャズ・インプロヴィゼイションの基本的な手法になっています。これを機に、この難題にチャレンジしてみましょう。

定価［本体2,500円+税］

ギターのための高度なブルース・リハーモナイゼイションとメロディック・アイディア

モダン・ブルース《模範演奏CD付》

MODERN BLUES / ADVANCED BLUES REHARMONIZATIONS & MELODIC IDEAS FOR GUITAR　*Bruce Saunders* 著・演奏

本書は、ブルース演奏におけるメロディックおよびハーモニックなヴォキャブラリーを発展させたい中級から上級のプレイヤーに最適です。ここではジャズで演奏されること多い、リハーモナイズされた12小節のブルースを取り上げ、*Charlie Parker*、*John Coltrane*、*Joe Henderson*など、偉大なプレイヤーの手法を分析しています。付属のCDには模範演奏だけでなく、ドラムス、アコースティック・ベース、ギターによる生演奏が収録。リズム・セクションと一緒に練習することができます。

定価［本体2,500円+税］

ギターのための一歩進んだハーモニー

モダン・コード《模範演奏CD付》

MODERN CHORDS / ADVANCED HARMONY FOR GUITAR　*Vic Juris* 著・演奏

練習、応用、作曲は、実用的なコード・ヴォキャブラリーを発展させるための鍵となる３つの要素です。そして、それこそが、本書のテーマです。新しいコードを発見することは、この上ない喜びです。しかし、そのコードをヴォキャブラリーに加えることは、また別の話です。新しい単語を学んだら、それを毎日の会話で使わなければ、すぐに忘れてしまうでしょう。すなわち、それが練習であり、応用です。さらに、その新しい単語を使って記事やEメールを書くとしましょう。それが、ここで意味する作曲なのです。

主な内容

ハーモニック・シラバス、トライアド、トライアドの応用、ヴォイス・リーディング、スプレッド・トライアド、ヴォイシングの観察、スプレッド・トライアドを使用した作曲、複合トライアド、複合トライアドを使用した作曲、ビッグ・ファイブ、基本的な7thコード、インターヴァリック・ストラクチュアとモーダル・コード

定価［本体2,500円+税］

定価［本体3,500円+税］

ジャズ・ギター／ブルース・ライン《模範演奏2CD付》

JAMMIN' THE BLUES

Frank Vignola 著・演奏

ファンキー、ブルージー、バップなどのさまざまなスタイルのブルース進行を32曲タップリとCD２枚に収録。各曲は、２種類のテンポで録音されているので、スロー・テンポを使えばビギナーでもタブ譜を見ながら確実にマスターできる。

定価［本体3,500円+税］

ジャズ・ギター／リズム・チェンジ《模範演奏2CD付》

RHYTHM CHANGES

Frank Vignola 著・演奏

ジャズにおいてブルース進行の次に最も多く使われるコード進行（I-vi-ii-V）であるリズム・チェンジをさまざまなキーで30曲タップリとCD２枚に収録。リズム・チェンジに慣れておけば、どんな進行の曲に遭遇しても戸惑うことなくプレイできるでしょう。

定価［本体2,800円+税］

スタンダード進行で弾く ジャズ・ギター・ソロ《模範演奏CD付》

JAZZ SOLOS / IMPROVISED SOLOS OVER STANDARD PROGRESSIONS

Frank Vignola 著・演奏

有名なジャズ・スタンダードのコード進行上でのインプロヴィゼイション・ソロための練習素材。付属のCDでは、著者*Frank Vignola*によるギター・コンピングをバックグラウンドに、さまざまなスタイルのインプロヴァイジング・ソロの模範演奏を収録。

定価［本体2,500円+税］

J. S. バッハ・フォー・エレクトリック・ギター《模範演奏CD付》

J.S. BACH FOR ELECTRIC GUITAR

John Kiefer 著・演奏

J.S.バッハ　それは現代に至ってもなお、ミュージシャンにとって無縁でいられない偉大な存在
すべてのギタリスト必携のバッハ名曲集

- バッハの芸術を体験し、演奏テクニック（ライト・ハンド、ピックと指のコンビネーション、右手と左手のコンビネーションなど）、イヤー・トレーニング、フレージングなどの効果的な練習ができる
- イングヴェイ・マルムスティーン、ランディ・ローズ、リッチー・ブラックモアなども学んだバッハを弾いて、作曲やインプロヴィゼイションのスキル・アップをしよう
- ギタリストにとって、バッハはとっておきの練習材料になる
- 全曲TAB譜付

定価［本体3,000円+税］

ホールトーン・スケールで弾く

ジャズ・ギター・リックス《模範演奏CD付》

JAZZ GUITAR LICKS IN TABLATURE

Jay Umble 著・演奏

パット・マルティーノやスティーヴ・カーンも推薦する、本書ジャズ・ギター・リックスは、フレットボードに隠されたホールトーン・スケールの美しさを理解し、今までにないホールトーンのアイディアとその応用を紹介している。

- ドミナント7th$^{(\flat 5)}$とドミナント7th$^{(\sharp 5)}$のコード上で弾くといった、ホールトーン・スケールの今までの使い方から抜け出るには、モダンなインプロヴァイズへのまったく新しい道へ心を開くこと。本書では、インプロヴィゼイションの幅を拡げるのに役立つホールトーンのコンセプトをタップリ収録。
- ホールトーン・スケールは、全音だけでなり立つスケールで、そのため、フレットボード上で探すことが容易にできる。しかし、実際は均一で密集しているので、ギターでホールトーン・パターンを弾くのは時どき混乱することがある。本書はそんな悩みを一気に解決してくれる。
- 本書の焦点は、フュージョン・スタイルのインプロヴィゼイションに基礎を置いている。また、これらのフレーズは、スタンダード・チューンによくマッチする。
- １小節から２小節の短いフレーズから始め、それをつなぎ合わせてオリジナルのリックを創る。
- CDには、本書に掲載の162例を限界まで収録（75分）。リックの宝庫として十分に活用できる。

シングル・ラインの演奏を極める

ジャズ・ギター　ライン&フレーズ《模範演奏CD付》

Complete Book of Jazz Guita Lines & Phrases
Sid Jacobs 著

定価［本体4,300円+税］

私たちは模倣することによって、話し方を学びます。私たちは自分の考えを表現するために、すでに存在する言語を使います。すでに存在するイディオムからフレーズを用いて、連結させるという点において、インプロヴァイザーにとっても全く同じことが当てはまります。ラインを文章に、そしてインプロヴィゼイションを会話に置き換えれば、そのプロセスを理解しやすくなります。

単語をつなげてフレーズにしていると、その人が会話をするスタイルが形成されます。したがって、より多くのヴォキャブラリーをもっていれば、それだけ自分を表現する手段が備わっていることになります。それと同様に、プレイヤーの音楽的フレーズをつなげ方が、その人のインプロヴィゼイションのスタイルを形成し、そしてより多くのヴォキャブラリーをもっていれば、それだけ自分を表現する手段が備わっていることになるのです。ジャズ言語のイディオム的フレーズは、他の音楽のそれとは異なっています。本書では、譜例をとおして、ジャズのラインとフレーズを創るために使われるアイディアを解説します。

本書の主な内容

インプロヴィゼイションの技術、さまざまなダイアトニック・シークエンス、Smokin' A Half Note、ジャズ・イディオム、イディオム的なiiまたはii-Vシェイプ、iiまたはii-Vシェイプの組み合わせ、イディオム的なV-I解決のシェイプ、イディオム的なIメジャー・シェイプ、メジャー・ラインの組み合わせ、ii-V-I上のラインの組み合わせ、ジャズ・イディオムに関する補足説明、さまざまなビバップ・スタイル・フレーズ、メジャー7thのライン、一般的なプログレッション上で使われるさまざまなフレーズ、Another Blues In F、4thの使用、4thトライアド、ペンタトニック・スケールと4th、いくつかのペンタトニック4thシェイプ、ペンタトニック・スケール　他

ザ・マーティン・テイラー　ギター・メソッド

The Martin Taylor Guitar Method　《模範演奏CD付》
Martin Taylor 著

定価［本体3,500円+税］

本書は、ジャンルを越えて絶大な人気を誇るマーティン・テイラーの驚異的なソロ・ギターの秘密を紹介しています。どのようにジャズ・スタンダードのソロ・ギター・アレンジを行うか、また理論的、学術的にではなく、マーティン自身が学んだのと同じように、子どもが言葉を覚えるような自然なアプローチで、学習者が取り組めるメソッドを提供しています。ハーモニー、ベース・ライン、左右の手のテクニック、フレージング、リズム、トーン、特殊奏法といった構成要素を検討し、美しいDanny Boy (Londonderry Air)の３とおりのヴァリエーションや、軽快かつファンキーなBhai Bhai Bluesのアレンジが収録されています。マーティン・テイラーのギターへの想いや、共著のデヴィド・ミードとの対談なども含まれた楽しい内容の１冊です。

マーティン・テイラーについて

イングランド出身。1964年、８歳でプロとしてのキャリアをスタートさせ、1978年にアルバム・デビュー後は、彼が最初に影響を受けたギタリスト、*Django Reinhardt*のパートナーであった*Stephane Grappelli*のグループで活躍を続けた。*Michel Legrand*、*Peggy Lee*、*Yehudi Menuhin*、*Nelson Riddle*、*Steve Howe (Yes)*などとの20を越えるアルバムや多くの映画のサウンドトラックのレコーディングに参加している。*Art Tatum*に強い影響を受けたピアニスティックなソロ・ギター・スタイルが人気を呼び、世界的な名声を得るに至った。ジャズの垣根を越えて、ロック、ポップのアーティストと共演したり、ギター教育の事業にも積極的に取り組んでいる。

「今日、世界で最もすばらしく、かつ印象的なギタリストの一人。私は、ただただ彼のプレイが好きなんだ！」　Chet Atkins
「マーティン・テイラーのソロ・ギターは、まったく驚異的で感銘をうけるものだ」　*Pat Metheny*

直輸入版のご案内

以下の商品は直輸入版につき通信販売のみのお取り扱いとなります。
エー・ティー・エヌまでお問い合わせください。
http://www.atn-inc.jp

Marcel Dadi / Finfgers Crossing ［CD付］
日本語解説書付

Marcel Dadiの作品とソロをまとめたCDブック。アルバムNashville Guitar Trilogyに収められた９曲が掲載されている。Albert Lee、Steve Morse、Chet Atkins、Larry Coryellといったゲストのソロも収録されている。TAB譜付

【曲目】Woody Good Picker、Je Veux Reveiller L'Aurore、Black Stars、Spirit of Merie、Hotel Shoeshine、Song for Leo Revisited、Finger Crossing、Hawaiian Moon、L'Echo Des Savanes

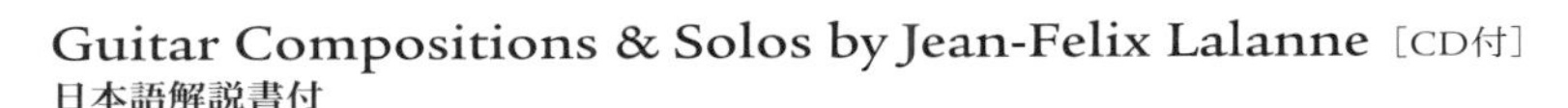

Guitar Compositions & Solos by Jean-Felix Lalanne ［CD付］
日本語解説書付

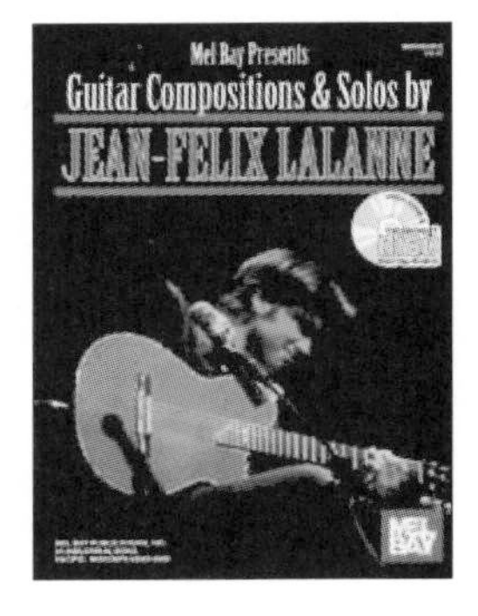

フランスの天才ギタリスト、Jean-Felix Lalanneの作品とソロをまとめたCDブック。すべて彼の作品11曲を収録している。TAB譜付

【曲目】Laguna Girls、Timour the Magician、Nashville Family、Country Medieval、Villa Rene-Georges、Miss、Slice of Heart、Parque del Plata、Brasiliana、Sweet Sadness、Keep Me Posted

Wes Montgomery / The Early Years ［CD付］
日本語解説書付

ジャズ・ギターの巨人、Wes Montgomery究極の曲集！Wes Montgomeryの初期のプレイをCDとTAB譜付楽譜で習得。

CD収録音源のオリジナルはリバーサイド・レーベルからで、ソロ名義ではもっとも初期に属する1960～61年の録音。現在入手困難なものを含め、複数のアルバムに収録された演奏をこの曲集のために編集してあります。 編成の異なるバンドで、リーダーとして、あるいはサイドメンとして、あるいはサイドメンとして、いろいろなウエスのプレイをうかがい知ることができます(ギタリストで、バークリー音楽大学の講師でもあるDan Bordenが丁寧で明確な採譜をTAB譜付で提供)。

Wes Montgomery / Jazz Guitar Artistryと併せて使用することにより、 さらに幅広くウエスのテクニックを習得できるでしょう。

【曲目】Scrambled Eggs (1960)、Compulsion (1960)、Terrain (1960)、Ursula (1960)、Lolita (1960)、Tune Up (1960)、Says You (1960)、Delirium (1961)、No Hard Feelings (1961)

Wes Montgomery / Jazz Guitar Artistry
日本語解説書付

Wes Montgomery全盛期のレアなプレイをTAB譜付楽譜で掲載。

掲載曲のほとんどの曲が、コピー譜としては世界初の出版で、全14曲のうち９曲がウエスのオリジナルです。巻末の、ウエスのバイオグライフィーは、採譜者のノスタルジックで思い入れたっぷりなウエス体験と、ジャズ・ギターやウエス奏法に関する解説、メジャー・デビューに至るまでに重点をおいたウエス・ストーリーが交錯するもので 読み物として興味深い（全文翻訳付)。

Wes Montgomery / The Early Yearsと併せて使用することにより、 さらに深くウエスの秘密に迫ることができるでしょう。

【曲目】Blue Roz、Double Deal、Doujie、Fallout、Full House、Jeannine、Jingles、Mi Cosa、Missile Blues、Sack O' Woe、So Do It、Something Like Bags、Unit 7、Work Song

Emily Remler / - Retrospective- "Compositions" ［CD付］
日本語解説書付

女性ジャズ・ギタリストとして代表的な存在であったEmily Remlerが情熱を注いだギター・プレイと作曲のエッセンスを学ぼう。TAB譜付

コンコードから発売のCDとTAB譜付コピー譜のセット。本書はすでに絶版で在庫限り。CDも入手が困難になりつつあります。

【参加ミュージシャン】piano: Hank Jones、James Williams、bass: Eddie Gomez、Bob Maize、Don Tompson、Buster Williams、drums: Terry Clarke、Jake Hanna、Bob Moses、Marvin "Smitty" Smith、trumpet: John D'earth

【曲目】Mocha Spice、Nunca Mais、Waltz For My Grandfather、Catwalk、Blues For Herb、Transitions、The Firefly、East To Wes、Antonio、Mozambique

直輸入版

以下の商品は直輸入版につき通信販売のみのお取り扱いとなります。
エー・ティー・エヌまでお問い合わせください。
http://www.atn-inc.jp

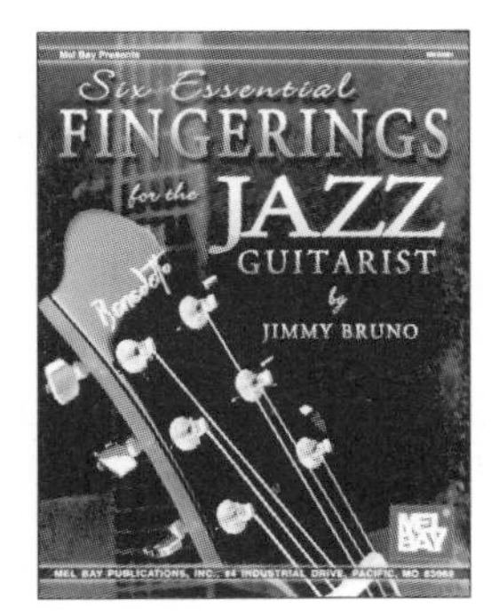

Six essential Fingerings for the Jazz Guitar *by Jimmy Bruno*

ノートやフレーズをどこで演奏するか、どのフィンガリングを用いるか…ギタリストは時々圧倒的な選択肢に直面します。スケールやフレーズで提示されたフィンガリングが実際的なものであるとは限りません。本書では、ジャズ・ギタリストの*Jimmy Bruno*が、彼自身のプロ生活30年間で培ったもっとも効果的なメジャースケールのための6フィンガリングを提示してくれます。これらのパターンは、ドリアン・モード、ミクソリディアン・モード、ナチュラル・マイナー、ハーモニック・マイナー、メロディック・マイナー・スケールにおいて派生したフィンガリングとして用いられています。

フレットボード・ダイアグラムに一般的な記譜方とタブ譜が併記されており、目で見る助けとなっております。これらのフィンガリングを一貫して用いることで、ギタリストは必要のないフィンガリングを排除でき、ミュージシャンとしての発展において、主となる障害を取り除くことができます。

John Stowell Jazz Guitar Mastery ［DVD付］

カナダのトロントを中心に活躍しているジャズ・ギタリスト、*John Stowell* のDVD付き教則本です。

彼は独特かつ合理的なフォームから素晴らしいコード・ワークやソロを展開し、多くのコンテンポラリー・ジャズ・ギタリストに影響を与えています。本書は、そんな彼の経験をもとに、より素早い上達の助けになるよう書かれています。

内容はおもにインプロヴィゼイションについてですが、メジャー・スケール、トライアド、アルペジオ、メロディック・マイナー・スケール、ハーモニック・マイナー・スケールなど、基礎的な題材を使って どのように練習し、またどう有効に活用するか、映像とともに詳しく説明されています。

DVDは３部構成になっており、ジャズ・ギター初心者から上級者まで広く対応しています。日本ではあまり知られていない*John Stowell* ですが、この機会に是非体験していただきたいギタリストです。

Jazz Blues Styles ［CD付］

Jazz Blues solos in the Styles of Charlie parker, Thelonius Monk, Sonny Rollins, and more

by Joe Diorio

Charlie Parker、*Thelonious Monk*、*Sonny Rollins*、*Wes Montgomery*らの巨匠のスタイルに、*Diorio*自身のアイディアをミックスした16のソロをとおして、ジャズ・ブルースのヴォキャブラリーを体得し広げていくことを意図したプログラム。後半はシンプルなものからウルトラ・モダン系まで12とおりのブルース・コード進行と16とおりのコード・ヴォイシングのヴァリエーションが示されています。CDの最後にはキーの異なる４つのブルースが収録され、ここで学んだコンセプトをジャムの中で試しながら練習できます。

【本書に掲載されている16のソロ】 Sonny's Blues、Sonny's syncopated blues、Altered chord blues、Bird and Sonny Blues、Monk s Blues、The Bluesy Blues、The Bluesy Blues (cont.)、Bird Blues、Parkers New Blues、Two Note Blues、Flat Five Blues、Octaves a la Wes Blues 、Comping Blues、The Low Strings Blues、Accompany Yourself Blues、Walking Bass with Chords Blues、The Walking Bass Bird Blues

Jazz Structures for the New Millenium ［CD付］

96 Intervallic Designs to Expand Your Improvising Vocabulary

by Joe Diorio

本書は、名著インターヴァリック・デザイン・フォー・ジャズ・ギターが出版されてから四半世紀を越え、その後*Diorio*が新たに得たアイディアをまとめた続編ともいうべき内容です。使いこなすには当然上級者レベルの実力が必要です。CDには*Diorio*自身による演奏が収録されています。

96の例はII-V Patterns、Chord Substitutions（II-V-I Substitution Examples)、4th and 5th Shapes（Chord Shapes for Lines and Comping、Shapes for Lines)、その他のラインとアルペジオ（II-V-I 、Evolution Jazz I、Cmaj7♭5 Lines - In and Out、12 Tone Patterns、Cm7、Altered Dominants、More 12-Tone Patterns、Evolutions Jazz II）に分けられています。CDには収録されていませんが、これ以外にChord Substitutions for Dm7-G7-Cmaj7の18例や、これらの新しいアイディアを用いたオリジナルのテーマMonk-ingとBlues for All Space Cadetsの提示もあります。

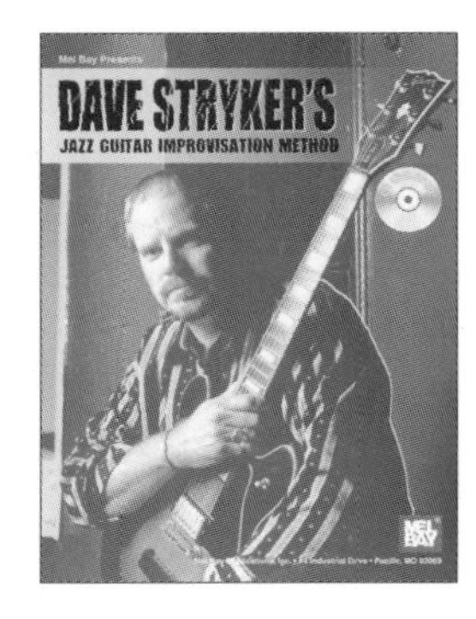

Dave Striker's Jazz Guitar Improvisation Method ［CD付］ *by Dave Striker*

Grant Green、*Wes Montgomery*、*Pat Martino* などに影響をうけ、ニューヨークを中心に活躍するジャズ・ギタリストの *Dave Stryker* による、インプロヴィゼイションのための教則本です。

スケールやアルペジオなど、どの本にも書かれているような内容は最小限に留め、彼が実際に使用しているアイディアを 、ブルース、枯葉、リズム・チェンジなどのスタンダード曲にそって解説、模範演奏しています。

彼独自のウォームアップ・フレーズやバップ・フレーズ、Giant Stepsなどの難曲を使った例題も収録され、中級から上級者向けの内容といえるでしょう。 CD、Tab譜付

直輸入版CD、DVD

以下の商品は直輸入版につき通信販売のみのお取り扱いとなります。
エー・ティー・エヌまでお問い合わせください。
http://www.atn-inc.jp

DVD/Joe Diorio : Solo Guitar Concepts

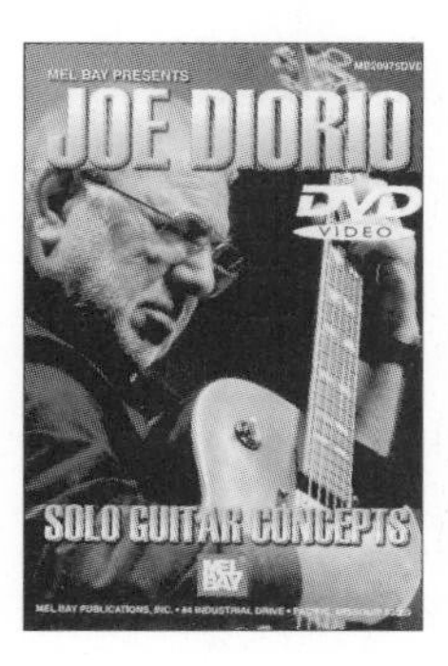

伝説的なジャズ・ギタリストであり、MI（GIT）創設時からの優れたインストラクターでもある、*Joe Diorio*から ソロ・ジャズ・ギターを学ぶDVDです。ソロ・ギターに不可欠な要素を学ぶだけでなく、*Joe Diorio*のアレンジによるAutumn LeavesやStella by Starlightから、彼独自の技やコンセプトを学ぶことができます。

すべてのジャズ・ギタリスト必見のDVDでしょう。

【収録内容】Arranging Solo Pieces、Bass Lines、Chord Fragments、Chord Inversions、Comping、Fills、Harmonies、Intervals

Featuring Larry Goldings on Organ and Bill Stewart on Drums

DVD/Peter Bernstein Trio Live at Smoke

ここ数年、活動を共にしているすばらしいオルガン・トリオによる、NYのジャズ・クラブSmokeでのライヴDVDです。

普段はオルガンの*Larry Goldings* をリーダーとして、ライヴやレコーディングを行っていますが、このDVDではギターの*Peter Bernstein* がリーダーを務め、彼のオリジナルやスタンダードを中心に演奏しています。

Grant Green や*Jim Hall*の影響を受けながら、独自のスタイルを追及し、現在、最も人気のあるジャズ・ギタリストのひとりである*Peter Bernstein* が、*Pat Metheny* や*John Scofield* との競演でも知られるドラマー、*Bill Stewart* の好サポートを得て、すばらしい演奏を披露しています。

シンプルによく歌うギタリストが好きな方、必見のDVDでしょう。89分

【掲載曲】Dragonfly *(Peter Bernstein)*、Jive Coffee *(Peter Bernstein)*、Spring Is Here *(Richard Rodgers and Lorenz Hart)*、 Puttin' On The Ritz *(Irving Berlin)*、Bobblehead *(Peter Bernstein)*、I Should Care *(Sammy Cahn, Axel Stordahl and Paul Weston)*、The Acrobat *(Larry Goldings)*、Night Mist Blues *(Ahmad Jamal)*

Live From The Theatre At Washington, Virginia

DVD/Jimmy Bruno & Jack Willkins

日本ではあまり有名ではありませんが、さまざまなミュージシャンとの競演経験があり、優れたテクニックと音楽性をもつジャズ・ギタリスト、*Jimmy Bruno* と*Jack Wilkins* のデュエットによるライヴDVDです。

ウォームな音で素晴らしいセッティングのハンドメイド、アーチトップのベネデット・ギターを愛用し（*Jimmy* は７弦、*Jack* は６弦）、すばらしいテクニックで、高速フレーズも余裕でこなしています。リハーサルのない状況でのライヴですが、ヴェテラン２人の高い音楽性は十分に伝わってきて、他に類をみないすばらしさに仕上がっています。疑うことなく彼らは先達のジャズ・ジャイアントと同じエリートの一人です。

主な曲目は彼等のオリジナルですが、そのほとんどがジャズ・スタンダードのコード進行に基づいたものなので、ソロ、伴奏ともに参考になるでしょう。 このDVDはまさしく「ジャズとの密接な遭遇」を見る人にもたらすでしょう。

CD/Big City *by Dave Striker*

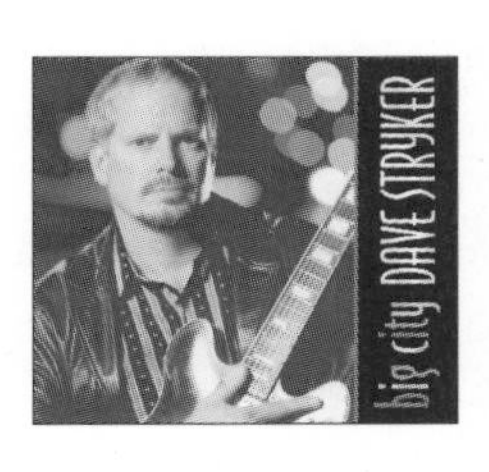

愛器ギブソン347 を使ってハードにスウィングし、太い音色でブルージーなフレーズを決めるジャズ・ギタリスト、*Dave Striker*の18枚目のリーダー作です。*Grant Green*、*Wes Montgomery*、*Pat Martino*らに影響を受け、サックスのスティーヴ・スレイグルとの双頭グループでも活躍してきた素晴らしいギタリストです。メンバーはNYで活躍する *Victor Lewis*（Dr）、*Ed Howard*（B）、*Dave Kikoski*（pf）となっています。

【収録曲】All Night Long、Biddy Fleet、Big City、Every Time We Say Goodbye、Feelin' Good、If Ever I Would Leave You、It Was a Very Good Year

CD/Jimmy Bruno Solo *by Jimmy Bruno*

アメリカ・ジャズ界のベテラン・ギタリスト、*Jimmy Bruno* によるソロ・ギター・アルバムです。有名スタンダードとオリジナルをソロ・ギター用 にアレンジし、スピード感あふれる演奏を披露しています。 このCDはオーディオ/ヴィジュアルCDとなっており、バイオグラフィー、フォトギャラリー、DVDとして発売されているライヴ映像の一部なども収録されています。

【収録曲】Benny's Tune、Darn That Dream、Giant Steps、Have You Met Miss Jones、 I'm In the Mood for Love、I've Grown Accustomed to Her Face、 Joy Spring、Just Friends 、Misty、Night and Day、Satin Doll、Stella by Starlight、The Toffelmire Band

CD/A Second Look *by Vic Juris*

ギター・プライベート・レッスン・シリーズ、モダン・ギターの巨匠であり、すばらしいテクニックで流れるようなフレーズを演奏するコンテンポラリー・ギタリスト、*Vic Juris* によるレコーディングです。有名レコーディング・メンバーと共に、スタンダードとオリジナルを、エレクトリックとナイロン弦のギターを駆使して演奏しています。
Member:*Jay Anderson*（B）、*Tim Horner*（Dr）、*Dave Liebman*（T.Sax&S.Sax）

【収録曲】A Second Look、Barney K.、So in Love、All the Things You Are、Shades of Jazz、Very Early、Little Brian、Table for One、Dizzy, Trane and You、Indian Summer

エッセンシャル・ジャズ・ラインの探究シリーズ

ジャズ・マスターのラインとスタイルを学ぶ　プレイ・アロングCD付

本シリーズは、ジャズ・マスターの個性あるラインと主なアプローチを探究し、あなたのラインをさらに発展させるための実践的なプレイアロングCD付メソッドです。著者フランク・ヴィグノラとそのバンドによるバックグラウンドによるプレイアロングCDは、12のすべてのキーで練習できるように作られています（ラインの模範演奏は収録されていません）。

チャーリー・パーカー・スタイルの探究　ギター《CD付》 定価［本体2,000円+税］ 他の巻：B♭, E♭, C, Bass Clef

ジョン・コルトレーン・スタイルの探究　ギター《CD付》 定価［本体2,200円+税］ 他の巻：B♭, E♭, C, Bass Clef

キャノンボール・アダレイ・スタイルの探究　ギター《CD付》 定価［本体2,000円+税］ 他の巻：B♭, E♭, C, Bass Clef

ビル・エヴァンス・スタイルの探究　ギター《CD付》 定価［本体2,200円+税］ 他の巻：ピアノ

ジョー・パス・スタイルの探究　ギター《CD付》 定価［本体2,000円+税］

ウエス・モンゴメリー・スタイルの探究　ギター《CD付》 定価［本体2,200円+税］

グラント・グリーン・スタイルの探究　ギター《CD付》 定価［本体2,200円+税］

クリフォード・ブラウン・スタイルの探究　ギター《CD付》 定価［本体2,200円+税］ 他の巻：B♭, E♭

（CおよびBass Clefは直輸入版につき、通信販売のみのお取り扱いになります。詳しくはATNまでお問い合せください。）

マイルス・デイヴィス・スタイルの探究　ギター《CD付》 定価［本体2,200円+税］ 他の巻：トランペット

ATN, inc.

エッセンシャル・ジャズ・ライン
マイルス・デイヴィス・スタイルの探究
ギター

Essential Jazz Lines
in the style of **Miles Davis**

発　行　日　2006年7月20日（初　版）

著　　　者　Corey Christiansen and Per Danielsson
翻　　　訳　石川 政実
監　　　修　石井 貴之
発行・発売　株式会社 エー・ティー・エヌ

住　　　所　〒107-0062
東京都港区南青山 4-3-24 青山NKビル
TEL 03（3475）6981／FAX 03（3475）6983
ホーム・ページ　http://www.atn-inc.jp

3525

ISBN4-7549-3525-X